АНТОН
ПОНИЗОВСКИЙ

ПРИНЦ ИНКОГНИТО

РОМАН

РЕДАКЦИЯ
ЕЛЕНЫ ШУБИНОЙ

АСТ МОСКВА

УДК 821.161.1-31
ББК 84(2Рос=Рус)6-44
П56

Оформление переплёта — ПАВЕЛ КРАМИНОВ

Макет — АНДРЕЙ БОНДАРЕНКО

Роман печатается с сохранением авторской орфографии и пунктуации.

Понизовский, Антон Владимирович.

П56   Принц инкогнито : [роман] / Антон Понизовский. — Москва : Издательство АСТ : Редакция Елены Шубиной, 2017. — 288 с.

ISBN 978-5-17-982856-3

«Обращение в слух», первый роман Антона Понизовского, сразу же вошёл в короткий список премии «Большая книга» (2013).
Новый роман «Принц инкогнито» — одновременно и приключенческая новелла, и сугубо реалистичная бытовая драма, и горячая исповедь, и детектив. 1908 год, Сицилия, броненосец «Цесаревич», романтика и интрига. И сразу же: современная провинция, больница для умалишённых. Кто-то из пациентов устраивает поджог за поджогом; психиатр обязан найти пиромана. Но, как и положено в русском романе, за детективной фабулой — вопрос о "последней правде". Где она: в тусклом реальном мире — или в цветных, золотых мечтах? И кто здесь подлинный принц?.. Может быть, вы?

УДК 821.161.1-31
ББК 84(2Рос=Рус)6-44

ISBN 978-5-17-982856-3

ПРИНЦ ИНКОГНИТО

1

В полутьме перья кажутся сплошной массой. Жалкие мятые пёрышки. *Плюмас*[*]. Плебс. Тысячи одинаковых перьев внутри подушки.

Я щёлкаю зажигалкой. Наволочка темнеет, на ткани вспухает пятно, будто я капнул чернилами. По границе разрыва рыскают штрихи пламени, тире — тире — точки. Как азбука Морзе, как отдельные буквы, слова и огненно-красные строки, нитки вспыхивают и на глазах истлевают, штришки расползаются (изгибаются дугами, распадаются на отдельные скобки).

С красной строки загорается ткань. Беспорядочно разбегаются, распространяются язычки — по-

---

[*]   Plumas *(исп.)* — перья.

одиночке и стайками, табунками: сбиваясь, лопочут, плетут витиеватые вензеля.

Я вижу: огонь — это речь. Это сказка. Перебивая, подхватывая друг друга, с пятого на десятое, путаясь, обрываясь, огненные языки торопятся рассказать про меня и про Миньку.

Вот мы на верхней палубе "Цесаревича". Солнце скрыто за облаками. Но мы молодые, работаем без фуфаек, в одних рубахах: сицилианский декабрь — вроде нашего сентября.

Пока офицер далеко, Минька курит, облокотившись на леер. (Правда, сначала, наученный горьким опытом, взялся за леер, подёргал туда-сюда: закреплён ли?)

Матросики дрессированные, субординацию знают: все как один драят палубу, в Минькину сторону не глядят. Прикоснись к палубе. Чувствуешь, какая гладкая? Досочки из благородного тика, деревянные шайбы сидят как влитые, и между досками — аккуратнейшие каучуковые прокладки. Хотя от угольной пыли ничто не спасает. Скачиваем и драим, драим и скачиваем с утра, а вахтенный офицер провёл пальцем: мойте-ка, братцы, почище. Тьфу!

— Дак что, братец? — передразнивает Минька, когда офицер исчезает из виду. — Ты обещал, "на бе-ерег отпустят".

Я на коленках, в руках грязная ветошь. Киваю:
— Сегодня же вечером и пойдём.

ГЛАВА 1

"Снова брешешь, — думает Минька. — А я-то, — думает, — развесил уши, дурак. Но обидно ж! Как хотелось бы в увольнение погулять — вон, Сицилия…"

Минька думает: "Теперь поздно. Что бы Его Высочество ни травил, после обеда на берег не выпускают…" — сплёвывает за борт.

"Цесаревич" стоит в круглой бухте. В семи-восьми кабельтовых к норд-норд-осту видны Сиракузы, сахарные дворцы. Прищурившись, Минька видит над берегом тёмную кромку: это могли быть деревья, аллея вдоль набережной — кабы линия не смотрелась настолько ровной…

Огонь выедает в перьях лакуны, каверны. Воспламеняясь, безвольные шелковистые волоски съёживаются, оплавляются в чёрные капли. Я тоже скоро умру.

Какой контраст с Минькой, который выкурил половину вкусной чужой самокрутки и, жмурясь, подставляет лицо полуденному ветерку.

Для Миньки жизнь бесконечна. Она поднимается перед глазами — туда, где смыкаются небо и горизонт. Над горизонтом редеют и истончаются облака, набухает просвет, розовато-атласное озеро. К озеру у горизонта прямо от "Цесаревича", из-под Минькиных ног устремляется лента — ещё не солнечная дорожка, ещё не слепящая, а лоснящаяся неярким муаровым лоском. Дорогу пересекают, пятнают течения, и когда озеро на горизонте становится ярче, первыми разгораются эти ребристые поперечные полосы: отблески мельтешат и роятся, как под дождём; лоб и щёку ощутимее припекает; солнечные ступеньки тасуются, теребятся, и кажется, что над ними, искрясь, реет облако солнечной пыли. Белая птица летит над водой. Стремительные катера с высокими трубами развешивают обрывки дыма. Посередине трепещущей золотистой дороги чернеет рыбацкая лодка, в ней стоит человек, отчего лодочный силуэт делается похожим на якорь или на корону.

2

Пятясь, Дживан отступил от подъезда и запрокинул голову. Длинная пятиэтажка из силикатного кирпича, вся в копчёных потёках. В окне наверху передвинулось что-то белое. Стёкла отсвечивали, отражая бесцветное небо, Дживан не мог разглядеть: успела одеться? или завернулась в простыню?.. в полотенце? Наугад поднял руку — кажется, помахала в ответ. Ну и хватит с неё. С ними надо держать себя твёрдо. Дживан повернулся и, больше не оборачиваясь, пошёл через колдобины, стараясь не наступать в глину щегольскими лакированными ботинками.

Если женщина смотрела Дживану вслед (а она, несомненно, смотрела), — то видела элегантно приталенное твидовое пальто, расправленные плечи, прямую спину человека, привыкшего побеждать. Главным правилом для Дживана было — держать спину прямо. Да и в целом — держать себя. Его ровесники обрюзгли и расплылись, а он сохранил фигуру двадцатилетнего юноши. И (здесь можно было мысленно подмигнуть) не только фигуру: всё тело сладко саднило и будто жужжало внутри, как остывающий двигатель.

Несмотря на бессонную ночь — две почти бессонные ночи! — Дживан отнюдь не чувствовал себя помятым: был, как всегда, чисто выбрит, надушен одеколоном, опрятно одет, причёсан. Ни намёка на лысину, лишь виски начинали седеть, это его только красило.

Дживан не любил головные уборы — шляпы, фуражки, береты, не говоря о бейсболках и кепках. Даже в мороз редко надевал перчатки. Избегал сумок, портфелей, часов — всего, что могло ограничивать, окружать, стеснять, привязывать: любил лёгкость. Изящную лёгкость. В одном кармане брюк — портмоне (не слишком, признаться, тугое). В другом — телефон, отключённый уже двое суток: и это сейчас был единственный груз, тянувший к земле. Дживан почти ощущал, как набрякли внутри телефона пропущенные звонки. Представлял себе, как нажмёт зелёную кнопку и с пиликаньем начнут выскакивать сообщения. Может, взять да и вышвырнуть телефон прямо вот в эту лужу — а жене сказать, потерял?..

Лужи, густые, оливково-бурые; канавы; вросшие в землю угрюмые пятиэтажки; ржавые гаражи, трубы с клочьями стекловаты, охвостья дыма над вяло курящейся свалкой, — объясните, как люди способны во всём этом существовать? За шестнадцать лет, что Дживан здесь прожил, не смог окончательно притерпеться: полгода потёмки, вода невкусная, пресная, воздух тоже невкусный…

А ну их, пускай живут как знают. Сейчас ничто не могло омрачить Дживанову размягчённость, ублаготворённость. Пахло солоноватым дымом: жгли листья. Дворы были пусты, только ветер болтал дырявые пластиковые бутылки с остатками птичьей крупы: четвёртый час дня — а у Дживана утро; все на работе, а он — свободен!

По утреннему мужскому обычаю, свободу можно было немного продлить. Для этого требовался, во-первых, хороший кофе — а во-вторых, *периодика*.

На витрине киоска среди зажигалок, заколок, наклеек, фломастеров и огородной рассады — бросилась в глаза выпуклая багровая с золотом надпись *"Принц крови"* — и на журнальной обложке парадный отретушированный портрет, забавно напоминавший самого Дживана: с таким же твёрдо очерченным подбородком, с такой же ранней породистой сединой; разве что чуть постарше — лет, может быть, сорока пяти - сорока семи…

Мундир в золотых орденах, в звёздах, лента через плечо, тяжёлая цепь с подковкой: кажется, это называлось "орден Золотого руна". Неюный принц явно уступал Дживану в аристократизме. Мундир не спасал: простовато, мужиковато смотрелся принц.

Нагнувшись к окошечку, Дживан в присущей ему церемонной, подчёркнуто учтивой манере осведомился, сколько стоит журнал. Сколько-сколько? *Вай ку.* С ума посходили.

Вообще, если вдуматься, нелепо смотрелся сорокапятилетний мужчина в роли наследного принца. Можно было представить, с каким трудом ему подыскивают символические занятия: какие-нибудь регаты, скачки, благотворительность… День за днём, год за годом, вот уже седина, а коронации всё нет и нет…

И главное: если точно следовать ритуалу, нужна была свежая газета — и только газета. Начинать утро, листая иллюстрированный журнал, — то же, что портить кофе фруктовым сиропом.

Вот, например, — *"Лампедуза: цунами беженцев"*… Или ещё злободневнее: *"Шок! Шок!! Шок!!! Пожар в сумасшедшем доме!!!!"* Фотография во всю первую полосу: обугленные, словно гофрированные, брёвна; спина пожарного в современной, хотя мешковатой, как будто не по размеру, экипировке. Спина выражала недоумение: "А чего тушить-то уже? Всё сгорело".

Дживана по некоторым причинам жгуче интересовал пожар в психбольнице. Руки чесались развернуть газету сейчас же, не отходя от киоска, но Дживан поборол искушение. Утро аристократа должно идти по порядку: вальяжно расположиться за столиком, не спеша развернуть... Где кафе?

У подъездов на лавках и на отдельных вынесенных из дома стульях восседали закутанные старухи: они казались Дживану неотличимыми друг от друга, будто одна и та же старуха с пустым дублёным лицом сидела и тут, и вон поодаль, только немного варьировался фасон чуней и цвет пуховика — тёмно-коричневый, тёмно-синий.

Ветер трепал бельё, натянутое между Т-образными ржавыми трубами; хлопал полуоторванный рубероид. Над дровяными сараями качались чайки. Дживан засунул руки в карманы, ускорил шаг.

Полы длинного твидового пальто завинчивались то влево, то вправо, мелькнула порванная подкладка. В Степанакерте или в Ереване немыслимо было представить, чтобы взрослый женатый мужчина вышел из дому в дранье. У жены глаз, что ли, нету? Рук нету? За мужем не может следить? Позор!

Впрочем, сейчас, после двух бурных ночей, Дживан чувствовал себя мягким, великодушным, и даже в мыслях не хотел упрекать Джулию. Она не виновата. И он тоже не виноват. Просто жизнь так сложилась...

Да, жизнь так сложилась.

Первые детские воспоминания — необозримая каменная громада трёхэтажного дома с внутренним двором, с общим круговым балконом.

Лето, жара, вкусный запах горячей смолы, битума — *кира*, чёрные лопающиеся пузыри в чане, грохот: кирщики ломами откалывают прошлогодний асфальт и сбрасывают с крыши вниз. Лучший город в мире, прежний Баку, лучший двор в мире и лучшие в мире соседи. В любую квартиру, кроме квартиры дяди Валида, можно ворваться без предупреждения и без стука: наоборот, это такая игра — застать хозяев врасплох. Везде Дживанчику будут рады, напоят, накормят: тётя Нана — только что испечёнными пухлыми шор-гогалами; тётя Люся, жена дяди Исаака, — борщом; тётя Алмаз разрежет на блюдечке солнечный помидор.

На глянцевитой лоснящейся шкуре — яркие капли, чуть мутноватые, меловые; крупинки соли; светлый блик от тарелки; в ложбинке влага, как сладкий пот. Разрезанный помидор искрится на солнце, в набухших озерцах сока — слепящие золотые протуберанцы. Мир так переполнен любовью, что можно нарочно помедлить, прежде чем погрузиться зубами, губами, щеками, носом в сочную остроту, яркость, солёность, сладость.

Двор, как и сотни других бакинских дворов, рассыпался: дядя Артур с тётей Яной уехали в Белоруссию, дядя Исаак с тётей Люсей — в Израиль, —

но самым первым решение принял отец Дживана. Не успели они перебраться к родственникам в Карабах, как отцу, известному невропатологу, предложили работу в степанакертской больнице и в медучилище. Когда случилось землетрясение в Спитаке, он полетел на вертолёте с медицинской бригадой — и не вернулся: были так называемые афтершоки, остаточные толчки. Тело не обнаружили, сообщили, что Грант Лусинян пропал без вести. Мама перенесла тяжелейший инсульт…

Это время в Армении называется "тёмные годы". Но для Дживана сквозь холод и темноту всегда просвечивало золотое и алое. Конечно, присутствовал обыкновенный юношеский эгоизм, жизнелюбие, психологическая защита. Но ещё — твёрдая убеждённость в том, что он — избранный. Он получил обещание. К тому же теперь — сын героя.

Без репетиторов поступил в Ереванский мединститут. Отца многие помнили, в том числе декан. Когда все остальные зубрили до умопомрачения, накачивались кофе, на зачётах бледнели, потели, — Дживан приходил выспавшимся, с прямой спиной, отвечал уверенно и легко — и после краткого колебания преподаватель ставил в ведомость плюс.

Летом после второго курса, когда уже начались бомбёжки и объявили мобилизацию, Дживан хотел остаться в Степанакерте, а маму, наоборот, эвакуировать в Ереван — но мама категорически настояла, чтобы всё шло по-прежнему: за ней ухаживают родственники, Дживан поступил и должен доучиться, война никуда не денется, автомат — это тоже профессия, Дживан принесёт гораздо больше пользы врачом, а обстрелы — подумаешь, *хето инч*, мы с тётей Асмик между бомбёжками "Санта-Барбару" смотрим...

Однажды, на четвёртом курсе, когда Дживан в своей комнате, обложившись учебниками, готовился к общей психопатологии, его вызвали к телефону. Примчался в Степанакерт, говорили, что успел чудом, что счёт идёт на часы. Прогноз не оправдался, весной мамино состояние постепенно стабилизировалось, частично вернулась речь. В это же время было подписано перемирие. Вместо полиэтиленовых пакетов в окна опять вставили стёкла. Дживан взял академический отпуск. Пришлось искать работу, работы не было.

И даже в таких обстоятельствах — Дживан держал спину прямо. Его гордость была не болезненной, не натужной: он точно знал, что впереди его ждёт золотое, невыразимое, уготованное ему одному.

Окружающие это чувствовали, особенно девушки: хорош собой, вернулся из Еревана, без пяти минут врач; хотя и не воевал, но тоже кое-что пережил — отец погиб, заботится о больной матери... Девушки так его видели, не мог же он им запретить. Правда, в провинции было гораздо сложней развивать отношения, чем в столице: здесь, в Степанакерте, от ухажёра требовалась определённость.

Однажды Дживана представили тонкой красавице Джулии: она тоже училась в столице и приехала к дальним родственникам на каникулы. Вскоре Дживан и Джулия поженились. Все повторяли — какая красивая пара. Мама всю свадьбу проспала в своём кресле.

К тому времени относилось странное воспоминание, до сих пор не оставившее Дживана.

Это случилось буквально за несколько дней до маминой смерти. Уже много недель мама была в забытьи, иногда бормотала невнятное, по большей части дремала. Дживан сидел за столом рядом с креслом, в котором она спала: кажется, разбирал и сверял документы на дом. Что-то заставило его обернуться.

Мама смотрела на него внимательным, совершенно осмысленным и ясным взглядом. Встретившись с ним глазами, она после паузы очень тихо, но внятно проговорила:

— Вечинч…

— Что?

Никогда раньше мама так на него не смотрела — со снисходительной жалостью, даже немного брезгливой, немного презрительной, — так смотрят на человека, который сделал что-то постыдное, недостойное…

— Мама, что ты сказала?

— Вечинч…

Вечинч, "ничего-ничего". Мол, чего уж теперь… может, ещё как-нибудь образуется… Дживан был изумлён и, стыдно признаться, обижен — он, образованный, интеллигентный, талантливый, всеми любимый, меньше кого бы то ни было заслуживал презрительного снисхождения.

— Мама, о чём ты? Что́ ты говоришь?

Позже Дживан ломал голову: не относилась ли эта жалость к его недавней женитьбе? — нет, мама приняла Джулию благодушно... Или мама его упрекала за то, что он так и не успел повоевать? Но ведь она сама заклинала его памятью отца, чтобы сначала он получил специальность, она так гордилась, что сын тоже будет врачом... Может быть, мама в бреду перепутала его с кем-то другим?.. Но в память врезалась именно полная ясность, даже как будто провидческая, — ясность, презрение и печаль.

Последние скудные сбережения ушли на похороны. Дживану пришлось ещё крепче задуматься о деньгах. Вдруг дальние родственники предложили работу в России. Это выглядело настоящим подарком судьбы: обещание начинало сбываться...

Город Подволоцк оказался блёклым, понурым — и изнурительно плоским. Всегда угрюмые люди, низкое небо, слякоть, глазу не за что зацепиться... кроме разве что покрышек? Автомобильные шины были вкопаны по всему городу, во дворах, на обочинах, из этих покрышек более или менее изобретательно были вырезаны, скажем, подсолнухи... Иногда даже лебеди... Смешно сказать, когда ветер принёс со стороны мясоперерабатывающего комбината запах палёной плоти — сам по себе отвратительнейший, — Дживан немного воспрял: точно так же время от времени пахло в Степанакерте, когда работала скотобойня. Да только в Степанакерте каждая улица или улочка то спускалась, то поднималась, круче или плавнее, или хоть изгибалась; за поворотом виднелись тощие, но прямые и гордые кипарисы; внизу — тутовые и абрикосовые сады; и главное — кругом плюшевые зелёные или бурые горы, у горизонта — с прожилками ледников...

А что живописного, что значительного было в Подволоцке? Разве что заброшенные корпуса аккумуляторного завода с провалами вместо окон... сомнительная романтика разрушения, вроде ржавой военной техники в Карабахе... Нет, красивого не было ничего. Вот, покрышки. Пластиковые пальмы, собранные из пустых зелёных бутылок. Оконные решётки — самое популярное украшение пятиэтажек. Кто побогаче, ставил сварные. Большинство довольствовалось так называемыми просечками: заказывали на заводе из металлического листа, так чтобы прорези образовывали узор. Дживану всегда приходили на ум эти просечки, когда родственники, изредка приезжавшие в гости из Питера, ругали местных "скобарями". Исторически уроженцы этой губернии назывались "скобские" или "скобари"... А в Карабахе не то что решётки — двери не закрывали, машины не запирали, на улице люди приветствовали друг друга, всегда было время остановиться, обняться, поговорить, позвать в гости...

Большим утешением для Дживана стала работа. Все, кто не имел отношения к медицине, были уверены, что медбрат — это практически то же самое, что санитар. Поначалу Дживан вдавался в подробные объяснения: санитар — это просто уборщик, чернорабочий, любой человек с улицы приходи, халат надевай — и уже санитар; а медицинский брат — слышите, ме-ди-цинский, профессионал, он всё делает: осмотр делает, все процедуры, уколы, лечение всё на нём... Что такое врач, знаете? Врач — это просто бумажка, диплом. Дживану год доучиться, год-полтора, — и тоже будет бумажка.

Потом на вопрос, кем работает, Дживан начал отвечать кратко: "врачом". Это была почти правда. Диагноз он ставил лучше иного врача: вот, например, работал у них один пожилой доктор (лет восемь назад окончательно ушёл на пенсию), ещё советской закалки, — всем подряд лепил "эсцехá", шизофрению. Дживан лично спас двух мизераблей (он про себя называл больных "мизераблями"): у одного выявился реактивный психоз, а у другого и вовсе органическая депрессия, банальная щитовидка... Всё благодаря Дживановой интуиции — ну и приобретённому опыту; что называется, "клиническому мышлению".

Да что говорить, отделение, по большому счёту, держалось на нём. Заведующая его ценила. Лишь однажды она совершила ошибку, когда на место ушедшей на пенсию старшей сестры назначила не Дживана, а Ирму Ивановну. Дживан сильно обиделся. Точнее, не так: его возмутила несправедливость. Он бесповоротно решил наконец закончить образование. В Подволоцке не было медицинского института, только училище, и в Пскове тоже — значит, пора было ехать из плоского городка в Питер или в Москву. К ближайшему лету Дживан при всём желании не успевал подготовиться, а вот к следующему — вполне. Получить российский диплом; там, глядишь, и учёную степень...

Прошёл год, другой. Пять лет. Десять...

Кто знает, если бы у них с Джулией родились дети... но детей не было. Джулия потемнела, стала какой-то остроугольной. Всё чаще он говорил ей, что идёт на ночное дежурство. "Ночное дежурство?" — саркастически переспрашивала жена. И больше ни слова, никаких пошлых сцен.

Лёгкость побед успокаивала Дживана, из раза в раз подтверждая, что он по-прежнему — избранный, что обещание — в силе: от новой жизни его отделяет тончайшая плёнка, зыбкая, как прозрачная капелька сока, внутри которой переливается помидорное зёрнышко... Дживан ждал сигнала, коротал время, позволял себе мелкие, ни к чему не обязывающие приключения.

За шестнадцать лет в Подволоцке, кажется, не осталось квартала, а кое-где даже двора, где Дживан не отметился бы. Даже здесь, на отшибе, в районе с невероятным названием ПВЗЩА (лет двадцать пять - тридцать назад здесь построили пятиэтажки и заселили рабочими Подволоцкого завода щелочных аккумуляторов), — даже в эти трущобы Дживан наведывался регулярно. Перед общежитием медучилища получил травму, трещины в двух рёбрах, четвёртом и пятом, — но не в драке, как можно было подумать. (Вообще, у Дживана было чутьё: он мог за себя постоять, но не лез на рожон, умел вовремя растворяться, избегать конфликтов — работают же, например, фотографы в горячих точках, и ничего, возвращаются невредимыми.) Дело было зимой. Тропинка от медицинского общежития шла под уклон, молодёжь раскатала дорожку. Дживан разбежался, держа под руки двух неустойчивых практиканток, — ну и поскользнулся, упал, они на него, хохоча, — и в груди закололо. Сначала подумал, сердце. Несколько месяцев не мог вдохнуть полной грудью, потом заросло.

Давненько не выбирался в эти края... Помнится, где-то неподалёку имелось кафе, и даже, по виду, более или менее сносное: белые столики, синий навес...

Внутрь они со студентками не заходили — зачем? После зимних каникул в общежитии — на любом этаже, в каждой комнате — было полно деревенских припасов, всё вкусное, натуральное. Да и весь этот райончик, ПВЗЩА, оставался полудеревней: куры, собаки, косой штакетник, кусты шиповника и жасмина, дровнички, палисаднички, покосившиеся избушки, уцелевшие между пятиэтажками. Осенью и весной непролазная грязь, в которую были втоптаны целлофановые пакеты и скомканные сигаретные пачки, обрывки холщовых мешков, обломки шифера, щепки, бутылочные осколки…

Как тайный агент, как Джеймс Бонд в идеально выглаженном костюме мог бы пробираться сквозь чумазые улочки какого-нибудь Марракеша, сохраняя при этом всегдашнюю невозмутимость, только в глазах кувыркались бы чёртики, — так и Дживан в глубине души чувствовал себя резидентом. Он был заброшен в ничтожнейший, мизерабельнейший городишко — разведчик не выбирает: он должен каждый день тщательно бриться, держать спину прямо — и ждать сигнала. Обещанное золотое должно было вот-вот открыться, осуществиться…

Правда, в последнее время Дживан стал замечать за собой нечто странное и даже, пожалуй, тревожное. Вот буквально несколько дней назад в минимаркете рядом с домом… Дживан ходил туда тысячу раз — и конечно, у него была скидочная карточка. И естественно, он эту карточку сто лет назад потерял. Дживан вообще терпеть не мог документы, для него было сущим наказанием заполнять любые бумажки, сразу портилось настроение. Карточку потерял, но в магазине все его знали в лицо и обслуживали со скидкой: прокатывали свои собственные карты, в общем, как-то справлялись. А тут — половина десятого вечера, никого не было, за кассой сидела новенькая, вполне смазливенькая продавщица. И вдруг эта мартышка упёрлась: нет карты — нет скидки, мол, правила. *А кац, какие правила?* При Диване эту лавчонку построили, он ходил сюда десять лет, а она двух дней не ходила. Разумеется, дело было не в деньгах — какие там деньги, десять, двадцать рублей? — а дело в принципе: что важнее, в конце концов, человек или кусок пластика?! Диван требовал немедленно связаться с директором — мартышка отказывалась звонить. По сути — Диван, несомненно, был прав. Но по форме... Тот крик, те выражения, до которых он опустился (когда Диван терял контроль над собой, из него до сих пор выскакивали бакинские дворовые словечки, преимущественно азербайджанские), — да, всё это выглядело недостойно, сейчас Диван имел мужество признать...

Непонятно было, откуда, с какого чёрного дна поднималась в нём эта ярость? Диван был здоров — для своих сорока в идеальной физической форме. Его успеху у женщин мог позавидовать Ален Делон. Диван был умён, остроумен, интеллигентен. Пользовался заслуженным уважением на работе. Работа, кстати, самая благородная, можно сказать, гуманнейшая из профессий. Пахал на двух ставках: медицинского брата палатного — и процедурного, дежурил почти через ночь и получал, между прочим, больше иного врача. Твидовое пальто, красиво седеющие виски… и всё же что-то как будто прокручивалось и проваливалось, и срывалось, и снова прокручивалось вхолостую.

В просвете между домами мелькнул синий навес. Вблизи обнаружилось, что поликарбонат выцвел и поцарапался, кое-где проломился. Столики были убраны из-под навеса, кроме двух с давно не мытыми, размокшими пепельницами — очевидно, клиенты выходили сюда курить.

Внутри кафе оказалось грязной пивной. Пахло рыбой, прокисшим пивом и какой-то добавочной гадостью антропоморфного свойства — не то от раковины в углу, не то от двух скобарей в кожаных кепках, с тёмными, красными лицами. Едва Дживан вошёл, скобари сразу же обернулись. Ох, как ему это осточертело. Лицо кавказской национальности. Плюс твидовое пальто. Плюс — примитивам особенно ненавистно — осанка. Самих скобарей неудержимо тянет обратно в пещерное состояние, к шимпанзе: сгорбиться, выпятить челюсть… В первые месяцы Дживан с готовностью шёл на конфликт, "шухарился", как говорили подростки в бакинских дворах, — потом понял, что бесполезно, имя им легион. Пока пиво лилось из крана, чувствовал на себе тяжёлые взгляды.

Держа спину как можно прямее, Дживан вышел на улицу, под навес, стараясь не расплескать из наполненного до краёв пластикового стакана.

Нда-с, джентльмены, в фантазиях всё было несколько иначе: акации, кофе с высокой пенкой… Склонившись, Дживан отхлебнул из стакана — и, как ни удивительно, от холодного водянистого пива стало немного теплее, а в голове — прозрачнее. Придержав шаткий столик, вытащил из кармана газету, расправил страницы.

Горящей теме было отведено полномера. Выходило, что каждые две недели случался пожар в очередной психлечебнице — в интернате или в больнице. Газетчики для наглядности выстроили таблицу — подробную, на разворот: даты, названия городов и посёлков, разные привходящие обстоятельства, число погибших. И, вероятно, с намерением оживить газетные полосы, усеяли эту таблицу красно-рыжими огненными язычками, неуместно игривыми, словно из комикса или из букваря.

26 апреля — Московская область, пос. Раменский: "Новенький пациент ночью поджег диван…" Крупным шрифтом: погибло 38 больных.

1 мая — Тамбовская область, село Бурнак: "Ночью пациентка курила в постели…"

9 мая — Краснодарский край, пос. Нижневеде-неевский: "Ночью один из пациентов курил, заго-релись постельные принадлежности…"

17 мая — г. Энгельс Саратовской области: по-гибло 4.

11 июня — г. Ярославль: "загорелась проводка…"

15 июня — Смоленская область, деревня Дрюцк: был подробно описан "памятник архитек-туры, деревянный усадебный дом конца XIX века. В этом доме располагался психоневрологический интернат… 22-хлетний мужчина признался в том, что поджег палату из-за конфликта с медперсона-лом…"

18 июля — Красноярский край, город Ачинск.

25 июля — Омская область, пос. Хвойный.

И свежая новость, щедрая россыпь оранжевых язычков, Новгородская область, деревня Лука: "Но-чью один из пациентов поджег кровать и себя…" Погибло 37 человек.

За пять месяцев набиралось девять пожаров. Дживан машинально подумал, что плюс один — и счёт будет красивый, круглый.

Столик был шаток и влажноват — газета под-мокла. Переворачивая страницу, Дживан надорвал уголок.

На следующей полосе напечатали несколько чёрно-белых снимков, все низкого качества: пятна, разводы, мутные полосы, непонятные колоколь-чики или цилиндры… Повертев газетный лист так и эдак, Дживан сообразил, что параллельные тёмные полосы — это спинки пустых железных кроватей, кругом обломки, потолка нет, над стенами небо; загадочные колокольчики оказались фаянсовыми изоляторами, ярко-белыми на фоне обугленных стен… Дживан был уверен, что разбирается во всех искусствах, в том числе в фотографии: из напечатанных он одобрил один хорошо скомпонованный кадр, запечатлевший торчащие в зрителя доски. Всё разрушено, — говорил этот снимок, — обезображено, всё превратилось в мусор и щепки…

Такой же бессмысленной грудой были навалены редакционные материалы, справки и интервью. МЧСовец в каске и в галстуке: "Плановая проверка Госпожнадзора… предписание руководителю… задымление… шкаф с бельём, что свидетельствует о поджоге… Условия, идеальные для горения… деревянное здание, построенное 150 лет назад…"

Местный житель: "Проснулся ночью… громко залаяла… В окно увидел, что горит корпус больницы. Побежали с соседом… вдвоём удалось выбить дверь… В конце длинного коридора лежал человек… потом балка обрушилась".

"Стены были отделаны пластиком?"

"Нет, никакого пластика не было, старый деревянный дом. Все обветшавшее, разом все полыхнуло..."

Начальник пожарных: "Пламя быстро распространилось… Когда прибыл первый расчет, огнем было охвачено… квадратных метров… выгорел полностью. Большинство пациентов лежачие... установленные на окнах решетки... вывели из горящего здания только двух пациентов. Остальные 37 пока числятся пропавшими без вести".

Ещё какой-то начальник: "Спасшиеся будут временно расселены... Возбуждено уголовное дело по ч. 3 ст. 293 УК РФ. На селекторном совещании... соответствующие поручения правоохранительным органам, МЧС и врио губернатора".

Врио-мрио. Шмио.

На всех этих разворотах про *"Шок-Пожар"* Дживан не находил ответа на занимавший его вопрос: можно ли было что-то предугадать?

Выживший пациент вспоминал: "Мой сосед по палате неоднократно высказывался в адрес медперсонала, что устроит веселую жизнь..."

А как быть, если они каждый день обещают устроить весёлую жизнь? Как вычленить из постоянного бреда этот звоночек, действительную угрозу?.. — и не успел он подумать про угрозу, как снова почувствовал на себе взгляды. Двое в кожаных кепках перегораживали Дживану выход из-под навеса.

Ах, как сейчас пригодилась бы та ярость, которая несколько дней назад обуяла его в минимаркете. Дживан владел национальным искусством свирепо кричать ("уничтожу! зарежу! все кости переломаю!") и дико сверкать глазами — так что обычно противник сдувался и отступал. Но после двух бессонных ночей Дживан был размягчённым, разнеженным: его не хватило бы даже на убедительный крик.

Дживан решил защититься иначе: просто забыть про двух недоумков. Как будто их нет во вселенной. Чтобы полностью отгородиться от скобарей, Дживан вытащил-таки телефон и включил его. Одним нажатием кнопки закончил двухдневный отпуск — и от семьи, и от жизни вообще.

В точности как Дживан себе представлял, с гнусным пиликаньем, один за другим стали выскакивать неотвеченные звонки: три — с работы, четыре — с работы, пять... с мобильного телефона Тамары, начальницы. Семь... Девять пропущенных... всё.

Вай ку! Какой приятный сюрприз: Джулия не позвонила ни разу — а значит, и нет доказательства, что он гулял двое суток. Можно не врать, ничего хитроумного не сочинять — просто сказать, что две ночи был на дежурстве. Три ночи! Вот и газета кстати: в соседней области, у новгородцев, сгорело, теперь у нас что ни день, то проверка, пожарный надзор, МЧС... всё сходится, всё логично! Прямо подарок судьбы... Но почему такая куча звонков от Тамары, что произошло на работе?..

Увы. Страусиная тактика не подействовала. Буравя его глазами, скобари заворчали что-то вроде "ар-рч", "хач" или "махач"...

Ну что? Махач так махач? Лениво, расслабленно подойти — и внезапно ударить? Первым, резко, в глаз, в горло?..

Дживан разгладил газету, вздохнул — и решительно повернулся:

— Здесь ложное время.

Перевёл озабоченный взгляд с одного на другого — мгновенно отметил, что первый — немолодой, усталый и, кажется, неопасный; а вот второй помоложе, позлее. Сурово глядя на них, Дживан постучал ногтем по своему телефону и повторил ещё строже:

— Лож-но-е.

Скобари оторопели. Как иллюзионист, как престидижитатор проводит блестящей палочкой — тем же манером Дживан продемонстрировал им экран:

— Сбита настройка. Я врач. Я обязан в точное время — секунда в секунду — звонить в больницу. Дежурному.

И для внушительности добавил:

— В приёмный покой.

Давно было замечено, что даже у одноклеточных примитивов теплится суеверное уважение к медицине: болел кто-нибудь из родни, да и сам тоже не застрахован... Даже у самого тупорылого — что-то такое сидит в затылке, в подкорке...

— Скажите, сколько на ваших часах? — обратился Дживан к старшему скобарю.

— Какой? — вскинулся тот, что моложе. — Чё, мль?

Но старший послушно ответил:

— Полпятого.

— Точнее, будьте любезны, — властно и в то же время благожелательно сказал Дживан, будто бы разговаривая с пациентом. Голос у него был глубокий, с бархатными модуляциями.

— Шестнадцать часов… двадцать пять. Доктор, что ли?

"Допёрло", — Дживан величественно кивнул:

— Врач. Клинический ординатор.

— А пиво сосёшь, врач клинический!.. — попытался встрять молодой, но уже без прежней энергии.

— Врач — жи-вой че-ло-век.

Дживан отвернулся от скобарей, потыкал кнопки и поднял телефон к уху. Услышав голос заведующей, сразу же заговорил озабоченным тоном:

— Как поживают наши больные, Тамара Михайловна? Что стряслось?

— Дживанчик! Ну наконец. "Что стряслось"! Ты спросил бы лучше, чего не стряслось. Ночью Гася твой снова загиповал! Скорая приезжала…

— Скорая помощь приехала? — веско переспросил Дживан. И заметил боковым зрением, что скобари, потоптавшись, двинулись прочь.

— Да, да, да! — изумилась Тамара: Дживан говорил не своим голосом и не своими словами. — Ты где? Что с тобой?

— Пиво пью, — Дживан проводил взглядом два плохо выстриженных загривка. — В интересной компании…

— Пиво пьёшь, а нас опять поджигали!

— Исключительно в нерабочее вре… Поджигали?

— Прямо дверь мою подожгли! Ночью! Дверь в ка…

— Что сгорело?

— Да ничего не сгорело — но прямо дверь в кабинет!.. То есть вообще уже!..

— Кто поджигал?

— Да не знаю я! Ночью! Не знаю, что делать вообще!..

— Тамара Михайловна, не волнуйтесь…

— С проверками с этими, я уволюсь, честное слово!.. Ты нужен, Дживанчик!

— Уже бегу. Тамара Михайловна…

Дживан любил, когда ему задавали вопросы, — любил выдержать паузу, помолчать, потомить собеседника, — а сам, наоборот, терпеть не мог спрашивать, ставить себя в уязвимое положение… Но сейчас нужно было спросить:

— Тамара Михайловна, из дома мне не звонили?

Голос начальницы потеплел:

— Безобразник, опять за своё. Нет, Дживан Грантович, не звони-ли. Никому до тебя дела нет. Кроме некоторых товарищей по работе… — В кабинете заведующей затрещал городской телефон. — Так, это из ЦРБ. Дуй скорее! Целую!

Было такое бакинское слово *бардакхана* — свистопляска, сумятица. Внутри Дживана творилась самая настоящая бардакхана. Даже чуть подводило желудок от облегчения, унижения, радости, злобы...

Первое: против него нет улик. Оправдываться не надо. Алиби-балиби, би-ба-бо: "Ты мне почему не набрал?" — "Я на работе был двое суток, ты дома сидела. Ты не звонишь, а я почему должен?" — всё шито-крыто. При желании можно было даже обидеться.

Второе: не надо сейчас — из чужой постели — идти домой. На работу — и то как-то легче, чище...

А вот "целую", услышанное от Тамары, заставило его поморщиться. Сам виноват: спросил, не звонила ли Джулия, — и тем самым как будто вошёл с Тамарой в маленький заговор — конечно, она не замедлила подхватить... Бабы, би-ба-бо, бабы. "Целую"... Тьфу.

Тамара давным-давно положила на него глаз, время от времени подёргивала за ниточку: ну? ещё не созрел?.. Не далее как неделю назад звала попробовать "Васпуракан", якобы ей подарили какой-то особенный, из особенной бочки... Нет, так низко Дживан Лусинян не упадёт. С начальницей — никогда. Вечером с ней коньяк пьёшь, а назавтра она тобой помыкает? *Ёх-бир!* С кем угодно, но не с Тамарой. Нет, нет...

Поскальзываясь, но удерживаясь на ногах, Дживан спустился в овраг, перебрался через заброшенную заводскую узкоколейку и вскоре уже шагал по краю широкой, в мягких ухабах, дороги, мимо чёрных избушек, не то сгоревших, не то просто сгнивших от старости, мимо участков, заросших полынью, и мимо домиков позажиточней — со спутниковыми тарелками, с компостными кучами, баньками и теплицами; с неизбывными целлофановыми пакетами и клеёнками, развешанными на заборах; клеёнками, которыми были обиты входные двери, — и снова клеёнками, накрывавшими груды досок, жердей или хвороста, горбыля или огненных, ярко-оранжевых ольховых чурок.

Дживан с гордостью вспоминал, как провёл беседу со скобарями. С первой реплики, сразу же подчинил своей воле — железной воле. Мастерски. Виртуозно. Актёр. Аль Пачино. Ален Делон. А трюк с телефоном? Загипнотизировал, как матадор обводит быка... двух быков, туполобых. Точно как матадор: с достоинством, с грацией...

Но глубже радости, глубже досады и даже глубже гордости колыхалась злоба: пусть Дживан присуждал себе как психологу и матадору выигрыш по очкам, его кулаки, плечи и даже вдруг занывшие рёбра — всё тело желало только победы нокаутом, с разворота вкатить: кто хач, я хач? Получай! —

мощно, с хрустом, — на! Хочешь ещё? Повторить? На ещё!..

Больница была уже близко. Чаще встречались приметы цивилизации: питьевая колонка, трубка газгольдера, фонарь — чёрный сосновый столб, прикрученный к бетонной чушке, на столбе объявления о покупке свинца, о продаже щебня или навоза, или веников оптом... Чернели похожие на муравейники кучи полусгоревших веток и листьев; некоторые ещё тлели...

Такое же жадное нетерпение овладевало Дживаном, когда он знакомился с новой женщиной. Сейчас ему хотелось как можно скорей оказаться в своём отделении — вернуться в свой мир, где он был хозяином, победителем, где его знали, ценили. Когда Тамару припекло — буквально, когда запахло жареным, — кому она оборвала телефон? "Дживанчик, ты нужен, Дживанчик, беги скорей!" — "Почему бы, Тамара Михайловна, вам не обратиться к старшей сестре? Кто у нас старшая или старший: Ирма Ивановна или я? А у меня, прошу извинения, выходной". Мог он так ответить? Имел полное право. Но вместо этого как метеор летел на работу. А почему? Потому что Тамара была права: Дживан справится. Он один разберётся. Никто не найдёт поджигателя — Дживан найдёт. Дело чести.

Больница, в которой Дживан работал семнадцатый год, размещалась на территории "Дома Пучкова" —

одной из редких подволоцких усадеб, переживших двадцатый век. Господский дом был много раз перестроен, но сохранил деревянный фронтон и две крашеные колонны. Среди сосенок и старых полуоблетевших лип было сумрачно. Мизерабль мёл листву. Чужой, из третьего отделения. В отличие от обычной больницы, здесь пациенты жили годами, ненадолго выписывались домой, потом возвращались. Многое было устроено не по инструкции, а по-домашнему. Вот, например, территорию было положено убирать до обеда, но этот больной (Дживан даже вспомнил фамилию: Матюшенков) любил мести листья, его это успокаивало, он никогда не пытался уйти с территории, со временем его начали выпускать одного, без присмотра.

Дживан взбежал по ступенькам и перед тем, как войти, вдохнул свежего воздуха про запас. Отпер собственным ключом дверь. Внутри было очень тепло, после улицы даже слишком тепло, в нос ударил знакомый запах. Такой запах, наверное, должен накапливаться за ночь в какой-нибудь непроветриваемой казарме, где на нестираных простынях спит много давно не мытых мужчин, — только здесь запах был куда крепче и включал сильную горько-сладкую примесь аптеки. У больницы была собственная котельная: в отделении круглый год стояла жара.

Отделение разделялось на две неравные части, которые по-корабельному назывались "отсеками".

В левом, более просторном крыле находился "лечебный отсек": палаты, вдоль палат коридор, в конце коридора санузел для пациентов, сушилка; дальше, в пристройке, — столовая и веранда.

В правом крыле, занятом "медицинским", "врачебным" или "служебным" отсеком, было немного свежее. Из-за плотно закрытой двери, разгораживавшей отсеки, доносился смутный бубнёж — и ленивые окрики тёти Шуры: "Ня трожь!.. Всё, ложись отдыхай… Кому сказала! зараза, уйдёшь по-хорошему или нет?.. В Колываново захотел?!."

Было слышно, что санитарка ругается по привычке, без раздражения. Бормотание мизераблей тоже звучало тускло, безлично: можно было не торопиться, в отделении стоял штиль.

В сестринской комнатке, одновременно служившей и кухней, Дживан снял твидовое пальто, повесил на плечики в шкаф, изучил себя в зеркале на внутренней стороне дверцы, остался доволен осмотром; когда закрывал, тёмное отражение повернулось. Надел белый халат, вымыл руки.

Можно было приступать к следственным действиям.

Медицинский отсек начинался с прихожей. Вправо от входной двери шёл коридор. С внешней стороны коридора — два полузакрашенных белой краской окна, а с внутренней стороны — ряд комнаток с металлическими табличками: процедурная, комната старшей сестры, комната для свиданий, забитая всякой всячиной комнатка сестры-хозяйки. В конце коридор заворачивал, сразу же упираясь в тёмный аппендикс: там была дверь к заведующей. Дживан подумал, что для поджигателя создали все удобства: из коридора нельзя было увидеть, что делается в аппендиксе. Когда кабинет был закрыт, никому в голову не приходило туда заглядывать.

Вообще, мизераблям было запрещено находиться в служебном отсеке без сопровождения. Больных водили сюда на уколы; время от времени — на свидания с родственниками; несколько дней назад приезжала машина с бельём и матрасами, мизерабли складывали всё это в комнате сестры-хозяйки, за ними присматривал санитар. С учётом того, что мизерабли безостановочно доносили друг на дружку — как по реальным поводам, так и (чаще) по воображаемым, — выбраться ночью на половину медперсонала, да так, чтобы никто не заметил и не настучал, — это было бы крайне сложной задачей для пациента... если бы не одно обстоятельство.

Месяц тому назад в лечебном отсеке пришлось ремонтировать туалет и сушилку. Этот ремонт теперь вспоминался как страшный сон. Мизераблей пришлось перенаправить на медицинскую половину — надо же было им где-то отправлять надобности. В прихожей выставили дополнительный пост; рук, как водится, не хватало, к тому же именно в эти дни уволили одного старого санитара за пьянство, замены не отыскалось (и не нашлось до сих пор), — а значит, оставшиеся были вынуждены брать дополнительные дежурства, да ещё бегать с поста на пост, из коридора в прихожую. И медсёстры, и санитары ходили усталые, огрызались… Когда ремонт отгремел, все выдохнули — но с тех пор, что ни день, отлавливали мизераблей в лечебном отсеке: за месяц они протоптали дорожку в чистый благоустроенный туалет медперсонала — и по-прежнему норовили туда проскользнуть.

Если бы поджигателя ночью застали в прихожей, он мог сделать вид, что отправился по привычному маршруту. А добежав до конца коридора и юркнув в аппендикс — даже если по совпадению в этот самый момент в коридор вышел бы кто-то из медиков, — поджигатель мог переждать за углом, под дверью Тамариного кабинета.

Высокая, под потолок, трёхфилёнчатая дверь сохранилась со времён настоящей усадьбы Пучкова. Даже выкрашенная в белый больничный цвет, она показывала, что не только в людях, но и в предметах может чувствоваться порода. Нижняя филёнка представляла собой как будто круглое озеро или лупу, обрамлённую сложным фигурным каскадом фасок и желобков. Верхняя, самая длинная, была разделена крестообразно, как окно в раме. На гладкой средней филёнке примерно в метре от пола виднелось пятно.

Дживан постучал. Ему никто не ответил. Дверь была заперта.

Дживан сел на корточки и посветил телефоном. Две... три подпалины. Нет, не в полном смысле "подпалины": дверь не горела, только в одном месте краска немного вспухла — три тёмно-серых зализа, язычки сажи, один рядом с другим.

Теперь нужно было сравнить этот трезубец с теми следами, которые поджигатель оставил неделю назад.

Когда Дживан вошёл в лечебный отсек, за санитарским столом было пусто: тётя Шура, должно быть, вышла в столовую или в дальнюю третью палату. Напротив стола (этот пятачок со столом, стулом и раковиной солидно именовался "постом") — напротив поста находилась первая, или надзорная, палата: здесь лежали тяжёлые пациенты, требовавшие постоянного присмотра, а также новоприбывшие.

Над первой койкой у двери, слева, вздымался могучий холм, обтянутый тёмно-красным истёртым вельветом. Это был Гасин зад. Когда полгода назад Гасю привезли в отделение, не нашлось пижамных штанов по размеру: оставили Гасю в домашних.

Гася стоял — а может быть, полулежал — в своём фирменном положении: верхняя половина тела была распластана по кровати, лбом и толстой щекой Гася прижимался к подушке, при этом нижняя половина стояла на четвереньках, колени были подогнуты под огромный живот.

— Ты что опять натворил, Гася, а? — добродушно спросил Дживан, беря его за запястье.
Слоноподобный Гася был почему-то Дживану сим-
патичен. Может, хрустальные голубые глаза, неожи-
данные на одутловатом лице, напоминали Дживу-
ну кого-нибудь из знакомых… из женщин?.. Рука
у Гаси была безвольная, пульс очень редкий.

— Зачем пугаешь Тамару Михайловну?

Гася скользнул взглядом мимо Дживана.

— Зачем безобразничаешь? — повторил Дживан, слегка встряхивая Гасину руку.

Он знал, что ответа не будет: в диагнозе значился "эндогенный мутизм", Гася молчал больше десяти лет, — но Дживан всё равно разговаривал с ним,
как разговаривают с младенцем или собакой.

Напротив Гаси, через проход, помещался Полковник. Затылок Полковника был тощий, жалкий.
Отвернувшись к стене, Полковник сосредоточенно
ковырял остатки обоев. Почти все обои уже были
съедены, уцелели разрозненные островки.

Дживан протиснулся между близко стоящими
койками к подоконнику. От копоти, появившей-
ся здесь неделю назад, осталось только размытое
пятнышко. Теперь Дживан пожалел: следовало бы
сфотографировать… но кто мог знать, что диверсия
повторится.

Неделю назад главные подозрения пали на
Славика. Сейчас бритый налысо Славик сидел
по-турецки, качался взад и вперёд. Левая рука была

44

забинтована. Время от времени его подзуживали *голоса*, и он голой рукой высаживал очередное стекло. Как и многие мизерабли, Славик курил, но после ЧП с подоконником Дживан лично конфисковал у Славика спички.

На дальней койке спал новенький, не знакомый Дживану: видимо, привезли вчера или позавчера.

Койку, стоявшую под окном, занимал слепой Виля.

— Здравствуйте, Дживан Грандович, — сказал Виля вполголоса, чувствуя, что Дживан уже рядом. Виля прекрасно ориентировался — и доносил на товарищей чаще, чем кто бы то ни было в отделении. Вопрос, мог ли Виля при всех своих незаурядных талантах ночью на ощупь добраться до кабинета...

— Кайзер Вильгельм! — торжественно провозгласил Дживан. — Легионы приветствуют кайзера!

Виля сдержанно улыбнулся. Всё же порой проглядывало в мизераблях что-то неординарное, даже во внешности — вдруг какая-нибудь выразительная черта: у Гаси прозрачные голубые глаза, а особенностью Вилиной физиономии были губы — ярко очерченные, прихотливо изогнутые.

— А я жду: обратите внимание на старика?..

— Что ты, Виля, какой старик, где старик? Ты красавец-мужчина...

— Красавец, скажете тоже, ха-ха...

— Виля, у меня к тебе дело на сто рублей. Ты здесь самый умный. Ответь мне, кто у вас баловался с подоконником?

Больной сразу же перестал улыбаться.

— Вы уже спрашивали, Дживан Грандович, — прошипел он. — Сказал: я не знаю. Я спал… Дживан Грандович! Переведите меня во вторую палату. Ну что я тут с дураками лежу? Даже не с кем общаться.

— Сейчас некуда переводить, нету мест, — пожал плечами Дживан. — Ты сам видишь: вон, весь коридор заставили.

Дживан сознательно сказал "видишь", чтобы сделать Виле приятное. Не помогло.

— Шамилову у вас нашлось место? Чем я хуже? У меня нету папы-миллионера?..

Дживан спокойно, настойчиво повторил:

— Виля, ты меня знаешь, я тебя знаю: ты человек образованный, у тебя хорошая голова. Мне интересно твоё суждение: кто поджёг?

— Не дурак поджёг. Не из этой палаты.

— Почему ты так думаешь?

— А кому здесь? Полковнику?

— Ты, Виля, зря дедушку недооцениваешь. Полковник, он шустрый… Товарищ полковник карбамазепиновых войск? Слышите меня? Приём!

Дживан подтрунивал над безучастным Полковником так же рассеянно-механически, как недавно спрашивал Гасю про самочувствие и называл

Вилю красавцем-мужчиной. Кто-кто, а Дживан умел говорить с мизераблями. Умел пропускать ерунду мимо ушей, а нужное слышать — как будто внутри был включён точнейший, тончайший приборчик.

Например, соображение, вскользь высказанное Вилей, было не лишено смысла: неделю назад в поисках злоумышленника они с Тамарой и Ирмой Ивановной ограничились первой палатой и методом исключения выбрали Славика — а, собственно, на каком основании ограничились? В эту палату даже двери нет, всё открыто. Санитары ночью спят, пушками не разбудишь. Получается, Виля прав: с тем же успехом мог зайти кто-то извне…

— А может, всё-таки ты, Кайзер? Признайся, тебе скидка будет. Сразу в третью палату переведём.

— Приятно, что вы меня цените, Дживан Грандович, но…

— Ладно, ладно. Шучу.

На первый взгляд Вилины речи звучали вполне разумно; лишь на фразе "что мне с дураками лежать" Дживанова чуткая внутренняя стрелочка трепыхнулась.

Дживан понимал, что разумность обманчива. Виля был старожилом первого отделения. Да и большинство пациентов можно было считать старожилами: маленький городок, одни и те же больные, все знали друг друга по многу лет. Психические болезни, увы, оставались практически неизлечимыми. Можно было добиться ремиссии и отправить больного домой. Но через несколько месяцев, через год, а иногда уже через пару недель — все возвращались. Во всяком случае, слепой Максим Вильяминов по кличке Виля — исключением не был. Кожа у него под подбородком была собрана в острые складки, словно торчало жабо: на пике очередного запоя он перерезал себе горло — всякий раз не до конца…

— Когда мама приедет? — слышалось из коридора. — Завтра?.. Ну когда мама приедет?..

— Я знаю все города... и посёлки Южной Америки: Акапулько, Лос-Анджелес... Тегусигальпа! Я гениальный географ-геодезист!..

3

У нас в дурдоме никогда не бывает темно: ночью включают плафоны, так называемый дежурный свет. До утра мы дрейфуем сквозь унизительно забелённую молочком полумглу... Но одна-единственная точка пламени — и сразу всё внешнее ухает в сказочную, драматичную черноту.

Когда я неделю назад поднёс к подоконнику зажигалку, на поверхности словно вылупился пузырёк. Подоконник горел — совсем капельку, но горел! Меня покачивало, пол гудел под ногами, как палуба корабля. Пахло деревом: ты заметила разницу? Когда дома горела краска, запах был химический, неприятный. А здесь сразу чувствовалось: горит живое! Живое.

Как ты думаешь, в чём секрет, почему огонь так притягателен? — даже крошечная капелька пламени, не больше икринки. Внутри этой икринки, как в зрачке подзорной трубы, разворачиваются упоительные приключения… Дай-ка вспомнить… Огонь, вода… Вода, огонь… И тра-та-та горит пожар, да?

Прекрасно, пожар — но не сейчас и не здесь, не эти драные тряпки, всегдашняя серость, мусорная, недостойная человека труха — а сквозь капельку, сквозь икринку, глазок подзорной трубы — на три тысячи километров отсюда, на век назад!

Любой пожар грозен, но самый нелепый и оттого, может быть, самый страшный — пожар на корабле. Некуда деться: внутри огонь, а вокруг сплошь вода.

Вода огонь не потуша́ет,
И тра-та-та горит пожар…

Шли в Сицилию. На подходе к Августе в резервной яме самовоспламенился уголь.

По тревоге нас бросили в самое корабельное недро: в "машину" (в машинное отделение) — и в кочегарку. Матросики вниз по трапам не бегают, а съезжают, съёрзываются, как в детстве с ледяной горки в овраг: за поручни крепче ухватишься — и пошёл! Пятками все ступеньки пересчитаешь, ладони горят… И самое важное: едва съехал — толкайся вперёд, пока следующий не впечатал подошвами по затылку…

В машине все новенькие робели, и даже Минь-ка, на что бесшабашный парень, робел: поршни ходят, трубы гудят, шестерни колошматятся, масло брызжет — механиков так и звали у нас, "масло-пупы", брюхо всегда в чёрном масле. А в кочегар-ке сразу же глохнешь, и пекло — не продохнуть… Стало быть, прибежали в нижнюю палубу, видим: дым. Тушить начали — ещё гуще потёк. Жара, вонь, угар… Кто-то сразу сознание потерял…

Трапы забиты, толпимся, старшие унтера рас-пихивают матросиков: кому повезёт — стоять с помпой, остальных — метать уголь; матрозня бестолковая, бросятся то туда, то сюда, то все сгру-дятся стадом… Уж кажется, сколько было учений: пожарные, артиллерийские, минные, водяные, — а как до дела дошло, растерялись. Хлопаем, глушим шуровками этот уголь… Везде спёкшиеся комья шлака, осколки дымятся, ручьи текут, лужи чёр-ные, жирные…

Видишь Миньку? Смотри какой убедительный: небольшого росточка, но крепкий, весь сбитый, цельный, как литая свинчатка или твоя круглая зажигалочка, которая так хорошо ложится мне в руку; вижу его приплюснутый нос, круглые, буд-то всегда удивлённые глазки, редкие бровки… А ты его видишь? Или веришь мне на слово?..

А как ты думаешь, когда случился пожар — по-жалел Минька, что оказался во флоте? Сдаётся мне, даже в такую минуту не пожалел. Впрочем, было не до раздумий. Его Высочество орудовал в самом жерле угольной ямы: подламывал лопатой корку, черпал дымящиеся куски, сбрасывал на решётку, а Минька с остервенением дробил и мозжил этот уголь внизу — в смраде, в чаду…

Минька не видел моря до своих восемнадцати лет. Чаек видел над речкой Волочкой, а про море и не слыхал. Родился в зачуханной деревеньке… Что далеко ходить — вот в Колыванове и родился! Вместо пола в избёнке была утоптанная земля. Вместо печной трубы — дыра в потолке: разводили огонь — открывали дыру; истопив — затыкали тряпками. В голодный год жрали мякину. Когда отец умер, Миньку как лишний рот отправили в люди, в уездный Подволоцк. Местные до сих пор говорят "Козий брод", но слово "броцкие" никто не помнит, кроме каких-нибудь отъявленных краеведов. Так называли подволоцкую шпану. Минька водился с броцкими, броцкие нос ему и сломали.

Однажды по пьяной лавке Минькин хозяин, румын, выдававший себя за француза, месье Траян, подарил Миньке фуражку с кокардой и лакированным козырьком. В тот же вечер броцкие сбили с Миньки эту фуражку и растоптали. Минька был совсем не похож на меня: он умел драться насмерть. Носа было не жалко — а жалко было, что и дня не пощеголял козырной фуражкой…

К тому времени, как пришёл "красный конверт" (повестка), Минька успел много и тяжело поработать: на кожевенном заводе, в торфяниках. Добирался до Питера — грузил песок. Когда не шла баржа, часами смотрел на большую воду, на белые паруса лайб, двигавшихся от Синефлагской мели к Неве...

Новобранцев выстроили перед казармой, скомандовали: кто плавать умеет, два шага вперёд марш! Земляк, стоявший рядом, шагнул — и Минька, не думая, тоже вышел из строя. Плавать он отродясь не умел.

Минькин флот начался с портового судна. Мы с тобой сочли бы подобный дебют прозаичным. Но лапотник Минька, который в свои шесть лет пас овец, а в четырнадцать мял и скоблил вонючие шкуры на кожевенном заводе, — Минька чувствовал себя королём... Деталь: когда Минька впервые приехал домой в увольнение, односельчане внимательнее всего осматривали, щупали, выворачивали и почти пробовали на зуб — не ленточки с твёрдыми золотыми буквами, не форменку с отложным воротником-"гюйсом", даже не новые юфтевые сапоги, которые Минька демонстративно, прилюдно стащил, — а носки. В Колыванове никогда не видали носков.

Через год-другой-третий портовое судно списали по ветхости, Миньку отправили в школу для нижних чинов — и по окончании школы в звании квартирмейстера он был приписан к линейному кораблю "Цесаревич".

Здесь завершается беглая предыстория и накатывает сказочный гул: вибрирует палуба, под ногами у Миньки гудят исполинские паровые котлы.

Минька впервые увидел свой новый корабль с набережной, издалека. Отрядик шёл в ногу, Минька в последнем ряду. По мере того как "Цесаревич" приближался, надвигались два орудийных ствола, каждый толщиной с Миньку, и маячившая за ними гигантская носовая башня; нависали и проплывали над Минькиной головой днища вельботов и катеров, поднятых на шлюпбалки; вздымались трубы и многоступенчатые надстройки — у Миньки захватывало дыхание: ему казалось, что вся эта неимоверная масса наваливается на него...

Прошли недели и месяцы, пока Минька начал сколько-нибудь ориентироваться внутри корабля, — и всё равно: что ни день открывались неведомые коридоры с уходящими в перспективу связками шлангов и труб, с задраенными дверями, с теряющейся вдали чередой подвесных электрических ламп...

Возможно, дело было не только в размерах. Скажем, наше первое отделение — это всего лишь одноэтажный дом: но за дверью на медицинскую половину уже начинается холодок неизвестности; коридор во врачебном отсеке почти такой же таинственный и тревожный, как для Миньки коридор нижней броневой палубы, а запертая санитарская и особенно процедурная таят опасность, словно патронные погреба...

Видишь, как я изучил эти морские дела? Похвали меня. Пока мы ещё были вместе, я много разного вычитал в интернете.

Например, могу рассказать тебе про линолеум. Здесь, в больнице, он рваный, и я хронически цепляюсь за эти прорехи подошвами, спотыкаюсь, — а тогдашний линолеум, варенный на льняном масле, сносу не знал и был тёплым на ощупь. Поначалу Минька стеснялся ступать на этот неведомый, но очевидно роскошный материал. Быт, окружавший Миньку в детстве и юности, был убогим, корявым, — а на флагманском корабле всё сверкало, всё было изысканно, превосходно, вплоть до решёток в палубе, под ногами, так называемых шпигатов, в которые сливалась ("скачивалась") вода во время уборки. Штурвалы шлюпбалок, затворы шестидюймовок сияли, во всём была безупречная слаженность, регулярность, премудрость: "Заряжай!" — затвор отскакивал, так же легко и надёжно защёлкивался; грохало так, что, казалось, дымом всё застилалось внутри, в голове... "Развести пар!" — котлы начинали дышать. "Освещение боевое а-ат-крыть!" — прожектор Манжена вклинивался в темноту ослепительным конусом. "Команда в-а-а-а-фронт!" — горнист играл "под знамёна", и всё моментально сбегалось, рассортировывалось, составлялось в безукоризненно стройный порядок.

Ты понимаешь, в чём наша с Минькой противоположность? Он хомо вульгарис, он дюжинный человек, человек коллективный.

Я не только читал про старинную флотскую жизнь: я смотрел видео в интернете. Сто лет назад военные корабли представляли собой главную национальную гордость. Поэтому съёмок много, есть целый получасовой фильм "Балтийский флот". Знаешь, что было для меня неожиданным? Теснота. Корабль невероятных размеров — а матросы всё время трутся гуртом, на каждом шагу физически сталкиваются, теснятся... Я не выношу, когда ко мне близко подходит чужой человек. В очередь за лекарствами встаю последним — и всё-таки обязательно кто-нибудь опоздавший будет дышать на меня сзади, заденет меня... Так же было в бассейне. Меня изумляет, как окружающие не способны держать дистанцию, как они терпят чужие прикосновения, как они не противны друг другу.

А Минька в этой толпе, давке, сутолоке — как рыба в воде. В деревенской избе, конечно, все спали вповалку. Кучей ехали в Питер в товарном вагоне... И вот теперь — "Цесаревич". Порядок. Блеск. Чудо премудрости, гордость империи, принадлежащее в том числе и ему, Миньке Маврину, бывшему овцепасу. Тем более, он занимает здесь не последнее место. Он не матрос, не гальюнщик. Он квартирмейстер! С гордостью Минька закуривает у "ночника" (так назывался фитиль, постоянно горевший на полубаке), приваливается на палубе и восстанавливает в уме многоярусную корабельную иерархию.

Всё, что под ним, от минных люков до трюма, все кубрики, нижние палубы, все котлы, механизмы, — это матросы. Семьсот матросов на "Цесаревиче" — и все по рангу ниже, чем Минька. Внизу.

Всех унтер-офицеров выше себя по званию — кондукторов, боцманов, машинистов, механиков, квартирмейстеров первой статьи — Минька мысленно помещает в ближайшую орудийную башню: тяжеленная (каждый снаряд весит сорок пудов), широченная, неохватная — но приплюснутая: выше Миньки не больше чем в полтора раза. Кто знает, быть может, со временем Миньке удастся забраться на самый верх — дослужиться до кондуктора. (Выше никак, потому что Минька не дворянин.)

Орудийная башня находится справа от Миньки, а по левую руку — опоясанная надстройками фок-мачта. В Минькиной аллегории мачта символизирует офицерство. У подножия мачты приткнулись малярная и фонарная комнатки: это, скажем, мальчишки-гардемарины, а также единственный штатский, коллежский асессор Нурик, который руководит корабельным оркестром.

Над головой — не дотянешься — мичмана, лейтенанты: балкончик боевой рубки, лебёдки и лёгкие противоминные пушки. Выше — стойки для шкивов, смутно мерцающая колонна компаса, боевой марс — это уже штаб-офицеры, высокоблагородия. Мощнейший прожектор Манжена — командир корабля, капитан первого ранга Любимов.

И когда после прожектора темно в глазах — стеньга, топ, невидимая вершина мачты — сам Государь…

Никто в Колыванове не поверил бы, что Минька Маврин, недавно бегавший с заскорузлыми пятками, видел Государя императора лично. Это случилось 24 сентября. Эскадру построили на Транзундском рейде, примерно в двенадцати милях к зюйд-весту от Выборга. Царский смотр был назначен на среду. Несколько дней на "Цесаревиче" стоял дым коромыслом: линкор был выдран, выскоблен сверху донизу; плешины и борта "отжвачены" (перекрашены); стойки, кнехты, клюзы, люки, шпигаты отполированы…

Минька впервые за полгода на "Цесаревиче" позавидовал своему земляку Матюшенкову, которого маленький, вечно печальный, вечно шепчущий и кивающий Нурик взял в корабельный оркестр. Однажды ближе к полудню Минька, босой, в пропотевшей (не нашим кислым и горьким больничным, а трудовым сладко-солёным потом) рубахе, наскоро перекуривал у ночника — к нему подошёл Матюшенков, тоже красный и потный, с короткой дудкой в руке. Минька как-то удачно над ним подшутил, вроде, кто-то пуп себе рвёт, а кто в дудочку рявёт, мол, кто жилы надрывает, а кто в дудочку играет, в этом духе. Матюшенков ему возразил, что это не труба, а "флюгель-горн". И, желая утвердить свою правоту (будто бы Минь-ка мог понять разницу между трубой и этим...), музыкант облизнулся, пожевал — и взял в губы мундштук.

В первый момент звук флюгельгорна показал-ся Миньке шершавым, словно чем-то присыпан-ным. Затем звук разбух и вырос, поднялся над па-лубой. Помимо воли Минька почувствовал, что он тоже растёт, ему тесно: лёгким тесно внутри груди, внутри рёбер, хочется вырваться вон — и за томя-щим, нездешним, широким, рассеянным звуком поплыть, заскользить, потянуться между тусклой водой и размытыми тающими облаками, к гранит-ному острову Вихревóму и полуострову Киперóрт, поднимаясь и растекаясь и заполняя пустое про-странство до самого горизонта...

— Шабаш! Скобарям по местам! — прикрикнул на них старший боцман Ломоносов. Минька с за-молкнувшим земляком перемигнулись: человек без понятия. Скобарями, скобскими звали псков-ских — в то время как подволоцкие, хотя формаль-но и были причтены к Псковской губернии, никог-да к себе это название не относили.

День смотра выдался светлый и ветреный. По-будку сыграли в пять тридцать. Когда становились на подъём флага и на молитву, палуба была ещё мокрая от росы. После завтрака "Цесаревич" и все корабли стоявшей на рейде эскадры расцвели флагами. Стало известно, что Государя ждут к десяти.

Команду заблаговременно выстроили вдоль борта. Матросы были наряжены в "первый срок" — праздничное, с иголочки, обмундирование. С окончанием беготни все чувствовали отупение, но лица были умыты; брюки, фланелевки, синие воротники выглажены; руки вытянуты по бокам; свежевыбритые подбородки высоко подняты, глаза пусты.

Пожалев, что не хватило места на шканцах, в строю с офицерами и старшими унтерами, Минька вскоре обнаружил выгоды своей позиции. На верхней палубе "Цесаревича" пушки были окружены спонсонами — балкончиками, нависавшими над водой. Полдюжины младших унтеров, в том числе Миньку, выстроили полукругом. Со спонсона Миньке как на ладони был виден коленчатый трап с медными столбиками, отполированными до зеркального блеска, с девственно-чистым алым сукном на ступеньках. У Миньки, в отличие от меня, было острое зрение. Он видел, как перехлестнула волна через площадку трапа, как потемнело сукно. Пахло большой рекой: балтийская вода почти пресная. Забавно: почти за пять лет, проведённых во флоте, Минька ещё не знал на опыте, что у настоящей морской воды совсем другой запах и вкус, другая твёрдость.

"Фал-л-р-репных на-а-а-ве-арх!"

"Фалрепными" назывались матросы, встречающие начальство. В этот раз Минька впервые увидел, как на всех трёх площадках трапа — на нижней, средней и верхней — встали попарно шестеро офицеров в полной парадной форме, при кортиках.

Трепеща двумя длинными косицами императорского брейд-вымпела, катер быстро шёл между шеренгами разукрашенных флагами кораблей. Послышался рёв: когда катер проходил мимо корабля, гаркало многосотенное "ура", и не умолкало, продолжало гудеть, когда катер двигался дальше. Гремел крейсер "Рюрик" и крейсер "Олег". Рокотали огромные тёмные "Пётр Великий" и "Император Александр II". Пройдя между ними, катер уже подваливал к трапу.

"Сми-ир-р-р-рна-а-а!.."

Удивительная тишина наступила на "Цесаревиче". Никогда прежде Минька не слышал на корабле такой тишины. Внизу хлопали волны. Скрипнула чайка. Бряцали на ветру снасти. Миньке казалось, что он различает шипение скатывающейся с трапа пены...

Ударил салют, и оркестр грянул встречный марш. Нога Государя ступила на трап.

Врезалось почему-то: либо китель пошили не по размеру, либо ремень был туговат — но сзади складки на кителе Государя топорщились, выпирали не по-морскому. Вытянувшись в струну, выпятив исцарапанный подбородок и до последней физической возможности вывернув шею вправо, Минька глазел на свиту: за Государем следовал адмирал с круглой, коротко стриженной серебрившейся головой; потом длинный в шитом мундире, в монокле; другой адмирал с лентой через плечо, с аксельбантами и в тяжёлых, вспыхнувших золотом эполетах... Только в эту минуту Минька заметил, что вышло солнце. Это было естественно: солнце приветствовало Государя. Вода заиграла. Берёзы вдали, на острове Вихревом, стали жёлтыми, выпуклыми; потеплели прибрежные камни, и кожа открывшего рот молоденького комендора тоже слегка засветилась.

Здесь Минька понял, что его наблюдательная позиция имела непоправимый изъян: да, те секунды, которые Государь поднимался по трапу, Минька, молоденький комендор и ещё четверо унтеров могли любоваться процессией — зато теперь, когда эскорт уже находился на палубе, обзор загораживала орудийная башня. Минька приподнимался на цыпочки, даже подпрыгивал, опершись на комендора, пытался хоть что-нибудь разглядеть в узком просвете между башней и рундуками, через чужие плечи и бескозырки. Из-за спин и затылков донёсся отзвук: "...цы!.."

По грянувшему отовсюду "Здра-а!.." Минька понял, что только что слышал самого Государя ("Здорово, молодцы"), и присоединился к общему крику: "...а-авия! ...а-аем! Ваше! Императорское! Величество!" Одновременно с "Боже, Царя храни" вся команда, перекрывая и "Рюрик", и "Пётр Великий", взревела "ура". Минька изо всех сил желал видеть — если не Государя, то тех, кто был ближе к нему; мельком взглянул вправо, на соседний балкончик-спонсон, — и вдруг встретился взглядом с матросом, которого прежде ни разу не замечал.

Ростом примерно с Миньку, то есть невысокий. На загорелом лице тёплый солнечный блик.

Этот матрос не кричал. Не поднимался на цыпочки. И — оскорбительно, невозможно! — вовсе не смотрел в сторону Государя. Никто кроме Миньки не обращал на это внимания: пятеро или шестеро на соседнем балкончике в самозабвении надрывались, как и вся команда, все восемьсот человек… за исключением одного.

Невозможный матрос опирался на леер — на тонкий трос, ограждение своего спонсона, — и выглядел совершенно расслабленным, безмятежным. Немного прищурясь и, как показалось Миньке, с едва заметной улыбкой смотрел уже мимо Миньки, куда-то вверх. Продолжая вместе со всеми рычать "ур-р-р-ра-а", Минька повернул голову — но там, куда смотрел Невозможный матрос, ровным счётом ничего не было, кроме воды, плоских поросших деревьями островов, туманной каёмки над горизонтом, неяркого солнца.

Когда Минька осознал, что в эту трепетную минуту — в присутствии Государя императора — матрос посмел греться на солнце, подставлять лицо солнцу, — то так взъярился, что, не будь смотра, прямо здесь разнёс бы морду мерзавцу, откулемясил, перемозголотил.

Находясь внутри огненного пузырька, внутри сказки, которую нам плетут, нашёптывают и строчат язычки, Минька не видит того, что заметно извне: они с "Невозможным матросом" очень похожи. Их можно принять за братьев... ну, может быть, за двоюродных братьев: "Матрос" — безусловно, аристократ, а Минька дворняжка. Миньку я почему-то вижу яснее: сломанный в детстве нос, бровки тоже как у боксёра — редкие, удивлённые; нагловатые глазки; стиснутые небольшие, но каменные кулаки, на безымянном пальце левой руки и на мизинце белые шрамы... Нет, вру: эти шрамы появились через два с половиной месяца после царского смотра.

Как следует из документов, смотр имел место в среду 24 сентября 1908 года. Назавтра три корабля ("Цесаревич" в качестве флагмана, "Богатырь" и "Слава"), снявшись с рейда, отправились в заграничное плавание. Позже к ним присоединился "Адмирал Макаров". Два линкора и два крейсера составили так называемый "гардемаринский отряд": маленькое соединение кораблей, на которых морскую практику проходили курсанты-гардемарины. Спустя две недели в английском Плимуте "Цесаревич" принял около девятисот тонн угля — именно эта погрузка чуть не стала фатальной.

Как ты помнишь, мне не довелось закончить среднюю школу — я не смогу объяснить, отчего слежавшийся уголь мог "самовоспламениться". Наверное, что-то связанное с окислением.

Уголь хранился в железных ящиках, бункерах, которые назывались "ямами": каждая "яма" вмещала от сорока до пятидесяти с гаком тонн. Самовоспламенившийся уголь нельзя было заливать водой прямо в бункере, от этого огонь только сильней разгорался. Матросам приходилось лезть внутрь раскалённого ящика, выбрасывать тлеющий уголь на металлическую решётку, чтобы другие матросы могли дробить этот уголь лопатами (по-морскому "шуровками"). Образовавшийся шлак сыпали в мусорные рукава — то есть за борт. Всё это происходило в дыму, в клубах жирной пыли, в пекле; вдобавок, поднялся ветер, пошла волна — корабль стало качать... Когда дали отбой пожарной тревоги, Минька едва стоял на ногах. Чёрных от гари матросов и унтеров отправили в кочегарную баню.

На "Цесаревиче" было две бани для нижних чинов: общая, так называемая "строевая" (её открывали по пятницам и субботам), — и "кочегарная", постоянно топившаяся для тех, кто работал внизу. Кочегарная баня была поменьше. Минька приписан был к строевой, причём всегда ходил в первую очередь, с унтер-офицерами: матросы ждали, пока вымоются унтера. Но после пожара было не до субординации: банщики запускали всех вперемешку.

Кочегарный предбанник был низким, длинным. Сквозь туман смутно виднелись запотевшие стальные опоры-пиллерсы. Электрические лампочки размывались острыми звёздочками, лучами. Голоса гулко бухали, как внутри бочки. Из-за переборок доносился плеск, гвалт. Босые ноги шлёпали по натоптанным грязно-серым следам, корабль покачивало, побалтывало, вода выплёскивалась из шаек, по линолеуму извивались угольные ручейки, сливаясь друг с другом то так, то эдак.

Вдруг Минька увидел, что буквально в трёх шагах от него, прислонясь к пиллерсу, неторопливо подвязывает порты тот самый матрос, к которому Минька целый день мечтал подобраться. Вид матросского тела возмутил Миньку не меньше, чем давешнее невозможное безразличие к Государю.

У всех мужчин, которых Миньке случалось видеть без верхней одежды, были бурые шеи и заскорузлые руки с обломанными ногтями, кривые мосластые ноги, фурункулы и угри от машинного масла, пятна от угольной пыли, порезы, кровоподтёки… Невозможный матрос выглядел совершенно иначе. Его мокрые тёмные волосы были гладко причёсаны. И весь он, от пояса до подбородка, был шёлковым, чистым и складным. Ни с того ни с сего Миньке вспомнился лакированный козырёк, Минька почувствовал себя броцким: ему захотелось сломать это гладкое, чистое и чужеродное.

Не подозревая об опасности, Невозможный матрос натягивал сапоги. Он по-прежнему опирался на пиллерс, склонился: Минька увидел, что у матроса на шее туда-сюда болтается… гирька? Круглая, вроде маятника напольных часов — часы, луковка? Но почему же на шее? Выпуклая… табакерка?.. "Ладонка! это ж… ладонка!" — плотоядно обрадовался Минька: появился законный повод придраться. Матросам, конечно же, разрешалось носить нательные крестики — но не ладанки.

Пол качнуло, и круглая гирька качнулась туда-сюда. Минька даже успел разглядеть, что на ладанке выдавлен крест. Вразвалочку — шаг-другой — Минька приблизился к наклонившемуся матросу — и вдруг сделал быстрый выпад, как будто хватал муху.

Однако ладонь осталась пуста, Минька почти потерял равновесие. Матрос непонятным образом успел выпрямиться — и стоял теперь перед пиллерсом, прижимая к груди свою ладанку, закрывая рукой.

— Снял сейчас же, — приказал Минька, ткнув пальцем.

Ещё одно беглое пояснение. На флоте (а уж тем более на образцовом флагманском корабле) действовала очень жёсткая субординация. Минька был старшим по званию. Он обращался к матросу. Матрос был обязан немедленно повиноваться.

Но вместо того, чтобы суетливо стащить с себя ладанку, этот младший по званию взглянул на Миньку — причём, как один персонаж русской классической литературы, взглянул не в глаза, а на лоб — и совершенно спокойно и твёрдо ответил:

— Это не ладанка, господин квартирмейстер.

— Няужто?! А что ж?

Когда Невозможный матрос стоял на соседнем балкончике, в пяти саженях, Минька не мог разглядеть, улыбался тот — или просто слегка прищуривался на солнце. Но и сейчас, видя его прямо перед собой, Минька не поручился бы, что в глазах матроса не промелькнула насмешливая улыбка, когда тот раздельно, отчётливо произнёс:

— Медальон.

— Н-на́-ка те мя́дальён!

На Козьем броду Минька выучился у броцких удару левой под печень. Удар был короткий, но очень резкий и сильный, из-под плеча, безотказный.

И снова Минька не успел сообразить, как он смог промахнуться и со всей мочи вкроиться кулаком в стальной пиллерс: снизу вверх, и ещё с подворотом, и вскользь! Перед глазами посыпались чёрные точки, пошёл металлический звон на всю баню… Что-то закапало на линолеум, потекло струйкой, Минька увидел, что пиллерс забрызган кровью. Живот у него подвело. Все обступили Миньку, обмыли руку тёплой сулемой, забинтовали…

И без перерыва, немедленно — следующий эпизод.

Вслед за вестовым Минька идёт по ковровой дорожке. Миньке совестно за сапоги — стоптанные, недочищенные в складках, он старается ступать по краешку. Минька впервые в офицерском отсеке. Здесь всё в коврах, всё отделано красным деревом, над дверями таблички: *"Флагманъ"*, *"Флагъ-капитанъ"*… Из глубины коридора — пение. Женский голос. Слова непонятны. Звуки фортепиано. Смех.

— Обожди! — свысока бросает вестовой и, пригнувшись, юркает в кают-компанию. Дверь остаётся чуть приоткрытой.

Минька не смеет заглядывать в щёлку, но искоса, боковым зрением, видит: в кают-компании курят, сквозь дым что-то блестит, дрожат оранжевые языки в канделябре, поёт дама в невиданном, сплошь сверкающем платье (поёт не по-русски), при этом сама играет на пианино и то нагибается, то выпрямляется, а платье как будто перетекает волнами.

Все хлопают. Обступают её. Звенят рюмки.

— ...Какой язык, ах какой мелодичный язык! Верно сказал...

— Кто?..

— Карл Пятый! Карл Пятый: по-итальянски — с дамами...

— По-французски! С дамами — по-французски!..

— Неправда! С друзьями — по-французски, с врагами — по-немецки, и по-испански — с Богом!

— А по-русски с кем?

— С Ломоносовым!..

Смех.

— Между прочим, о Ломоносове, помните это: "Вода огонь не потуша́ет..."

— Вильгельм Осипович, это не Ломоносов, а... сейчас вам скажу... Львов!

— Князь Львов?

— "Вода огонь не потушает, и третий день горит пожар..."

— Типун вам на язык, Вильгельм Осипович!

— На мелодичный язык!..

В кают-компании хохот. Горящие язычки пригибаются и трепещут. Кто-то невидимый затворяет дверь изнутри.

Эта дверь отличается от других корабельных дверей: во-первых, высокая, так что даже рослый офицер может войти, не пригибаясь и не снимая фуражки; во-вторых, у этой двери не четыре задвижки-клинкеты, а шесть, причём ручки клинкет не стальные, а медные или латунные — тоже надраенные, отсвечивают в полумраке.

Здесь очень тихо. Во всех помещениях корабля, где Минька бывал до сих пор, — в кубриках и на палубах, в коридорах, на трапах и в сходных шахтах, не говоря о машине и кочегарке, — нигде не бывало так тихо. Внизу несколько раз подряд бьёт волна. Качает, качнуло ковровый пол, за дверью кают-компании зазвенели бутылки, зазвенел смех — и отчего-то качнулось и сжалось сердце…

Раскрылась дверь, вышел лейтенант Рыбкин-третий, радостный, с папироской в зубах, между пуговицами — сложенная газетка.

— Честь имею явиться! Квартирмейстер Маврин, ваш-бродь!..

— Хорошо, хорошо… — кивает Рыбкин и не по-уставному берёт Миньку под руку: — Отойдём… Маврин, у тебя в отделении новый матрос… — Смотрит прямо в глаза. — Ты хорошо его знаешь. Отдай ему эту газету. Понял? Отдай ему от меня.

— Слушаю-с, ваш бродь!

— Что с рукой у тебя?

— Не могу знать, ваш-бродь!

— Как же не можешь знать? Дрался?

— Някак нет-с, ваш бродь!

— Смотри, Маврин, — говорит лейтенант, стараясь выглядеть грозно (но Минька видит, что тому хочется поскорее вернуться в кают-компанию). — На каторгу хочешь?

— Някак нет-с, ваш бродь!

— Так смотри не дури. Газету отдай из рук в руки. Не потеряй.

Я не вижу тебя. Не чувствую твоей реакции. Мне трудно. Тебе всё понятно в моём рассказе? Я не спешу?

Моя подушка никак не желает вспыхивать целиком: огонь выел внутри наволочки очаг и тлеет, как уголь в угольной яме. Вокруг очага перья оплавились и почернели, покрылись блестящей антрацитовой корочкой, но ещё тысячи остаются нетронутыми. Может быть, они влажные, слишком слежались? Может, нужно было встряхнуть, прежде чем поджигать?

Набираю в лёгкие воздуха, наклоняюсь и дую, пёрышки разлетаются, словно снег, штришки азбуки Морзе становятся ярче и умножаются. Сразу во многих местах выстреливают язычки.

Я спешу, потому что боюсь, как бы Дживан не выскочил и не набросился на меня снова: во второй раз я не устою. Пока огонь разгорается — помоги, удержи Дживана. Пожалуйста. Мне одному с ним не справиться...

Точно такую же пустоту и бессилие чувствует Минька, не понимая причины. Наработавшись за день, матросы храпят, дышат с присвистом, стонут, бормочут... Мне очень легко представлять эти звуки, они такие же, как в больнице, только громче: в палатах у нас до десяти-двенадцати человек, а в каждом кубрике вчетверо, если не впятеро больше. Койки — брезентовые мешки, набитые толчёной пробкой. Матросы спят на полу. Следовательно, корабль сейчас на стоянке. (В открытом море койки подвешивают, как гамаки.) У Миньки привилегированное квартирмейстерское ложе — "рыбина", тиковая решётка поверх рундуков. Обычно Минька не успевает коснуться брезента щекой, как уже спит — но в этот раз он ворочается, томится. В кубрике жарко, забинтованная рука чешется, ноет, как её ни пристраивай…

Разрозненные картины всплывают опять и опять. Ожидание перед дверью кают-компании. Сама эта дверь, крестообразно перечёркнутая рёбрами жёсткости. Газета, которую офицер даёт Миньке для Невозможного… Офицер для простого матроса — газету?.. да на чужом языке? С какой стати?.. Что это за матрос? Отчего Минька раньше его не видел на корабле?..

Почему такой гладкий? Что за "медальон"?.. Матросов таких не бывает, они другие… Значит, он не матрос? Он переодетый в матроса… кто?

Ах, рука чешется… Как же его угораздило промахнуться? Причём дважды, дважды! Первый раз — когда хотел схватить медальон, второй раз — когда гвозданул… Корабль качало? Качало, ну так и что ж?.. Бьёт восемь склянок, полночь. На душе муть, туман, и Минька тонет в этом тумане —

как будто предчувствуя то, что с ним завтра случится…

Наутро, 13 декабря, в сицилийской Августе — очередная угольная погрузка. Местные накануне отпраздновали своё Рождество. Не верится, что зима: солнечно и так тепло, что матросы работают без фуфаек. Палубу сплошь затянули и застелили брезентом: даже вельботы, поднятые на ростры, и те обвязаны. Из брезента торчат пушечные стволы.

Снизу вверх, со стенки набережной на борт, уложены две доски. Выстроившись друг другу в затылок, матросики, топоча, с разбегу вкатывают тачки, наполненные углём. Доски пружинят, трясутся, колёса тачек гремят. Матроса, взбежавшего по наклонной доске и на излёте теряющего равновесие, подхватывают с обеих сторон два самых дюжих унтера на корабле, старший боцман Александр Степанович Ломоносов и трюмный механик Гордей Матвеевич Раков, — ловят матросика с тачкой, проталкивают его дальше и, уже не глядя на него, — принимают следующего. Широченные животы и груди двоих богатырей вымазаны в угле.

На палубе уголь пересыпают в мешки и корзины. Пыль столбом, так что даже на солнце темно. Все стали чумазыми белозубыми неграми. По-бабьи обвязав головы, матросики щурятся, сплёвывают (не на палубу, разумеется, а в клочки ветоши вместо платков), курят в чёрном дыму, скалятся, потешаются, топают неуклюжими башмаками-"прогарами". Вместе с матросами и унтерами работают гардемарины и несколько молодых офицеров.

Миньку поставили на дальний от берега борт — вываливать мешки в одну из угольных ям. Неподалёку трудится лейтенант Рыбкин-третий: мелькает за мостиком, принимая мешок за мешком.

Тут Минька видит своего медальонщика: вон, волочит мешок к тому самому люку, где стоит лейтенант. Минька хочет увидеть их встречу: как это произойдёт? Может быть, лейтенант ему сделает тайный знак? Снова отдаст газету? Что-то шепнёт?.. Миньке опять загораживает обзор шестидюймовая башня, такая же, что не дала ему налюбоваться на Государя. Бросив работу, Минька прошмыгивает на спонсон, выглядывает из-за башни, чуть отклоняется за борт, держась за леер… и вдруг начинает проваливаться в никуда.

Случилось вот что. Во время стоянки, как водится, "жвачили" плешины, то есть подкрашивали (комок пакли с ветошью назывался "жвачкой"); и вот вчера, пока жвачили эту самую орудийную башню, для удобства с одной стороны отцепили леер — небольшой тросик, служивший своего рода перильцами, — но не сняли этот леер совсем, а оставили — и позабыли. То есть с первого взгляда не было видно, что опираться на этот леер нельзя…

Минька с ужасом чувствует, что опора ушла из-под ног и под ним — пустота. Палуба отклоняется,

Минька взмахивает руками, весь огромный корабль будто взмывает над Минькой. Минька даже не успевает крикнуть, а как-то каркает: "А-а!" Перед глазами проносятся угольные потёки — и пудовый удар о внезапно твёрдую воду вышибает из Миньки дух.

4

—А!

А-а-а!

— Акапулько! Лос-Анджелес!
Сан-Альфонсо-дель-Мар!..

— Когда мама приедет?..

По длинному коридору шарка-
ли мизерабли. Двигались против часовой стрелки,
один за одним, редко парами; кто бормотал, кто
почёсывался, кое-кто улыбался; смотрели под ноги
или прямо перед собой.

Коридор был неширок, и ещё сужался из-за
того, что у внешней стены, между замазанными
краской окнами, находился "сестринский пост"
(стол, два стула, раковина), дальше несколько коек
для тех, кому не хватило места в палатах, — а вдоль
противоположной, внутренней стены были вы-
ставлены разнокалиберные стулья и две кушетки.

77

Из-за узости коридора больным приходилось, дойдя до конца, разворачиваться на месте кругом: разрозненные вереницы двигались встречными курсами, почти задевая друг друга. От гуляющих отделился мужчина с густыми бровями, приблизился к сестринскому столу:

— Мама скоро приедет?.. Да? Скоро, да? Правда? Когда мама приедет?..

— Кши! — шикнула на него тётя Шура.

Больной, поёживаясь и переваливаясь, отошёл — и снова влился в двигавшуюся по кругу процессию.

Дживан наблюдал циркуляцию мизераблей, всматривался то в одного, то в другого, вслушивался в бормотание, чтобы почуять тлеющую опасность, подметить что-нибудь неординарное.

Из всей надзорной палаты в круговороте участвовал только Славик. На полушаге он замер посреди коридора как вкопанный, остальные сразу же начали его обходить, как рыбы в аквариуме огибают камень. Дживан подумал о том, что здесь каждый замурован в себе самом: между сумасшедшими почти не бывает приятельских отношений, обычного человеческого тепла…

— Дживан Грандович! — обернулась к нему тётя Шура. — Слушай, я вроде тя в журнале ня видела? Ты ня в очередь, что ли?

Дживан скрипнул зубами: он предпочитал обращение на вы, тем более от низших по рангу, —

и вдруг обратил внимание на раскрасневшееся лицо тёти Шуры и на грузность, с которой та навалилась локтем на стол. *Адá*, постой! — осенило Дживана, и он почему-то очень обрадовался. Постой, матушка… Да никак ты поддамши?

Ещё Владимир Кириллович, отец-основатель, заведовавший отделением до Тамары, установил непреложную заповедь: состояние алкогольного опьянения — сразу волчий билет. Коллеги, это психиатрия. Считайте, что мы обращаемся со взрывчаткой, причём разнородной: одна срабатывает при нагреве, другая при детонации. Не поворачиваться к больным спиной. Не спать на дежурстве. Спиртное — категорически запрещено.

При Тамаре к заповедям появились поправки. Врачи и некоторые медсёстры — на своей половине, в закрытой комнатке, в уголке, втихаря, по рюмочке, под конец рабочего дня… случалось. Даже Дживан — вот, открыто сказал Тамаре по телефону, что выпил пива, она его тем не менее вызвала… Но к санитарам поблажки, конечно, не относились. Буквально месяц назад уволили Маврина — а тот оттрубил в отделении столько же, сколько Дживан. Правда, и попадался не первый раз и не второй… Всё так, уволить уволили, да только замены не нашли до сих пор. Не ломились в психушку желающие менять мизераблям памперсы, выносить горшки — в очередь не становились…

Если бы сейчас Дживан решил действовать по форме, доложил бы Тамаре про тётю Шуру, Тамара была бы вынуждена отправить её вслед за Маври́ным... и? С кем работать? Тётя Шура — обычная санитарка, не лучше прочих, с ленцой, — но кем её заменить? Неправильно было бы загонять Тамару в тупик.

Но с другой стороны, если сейчас сделать вид, что всё в норме, — вышло бы, что Дживан подыгрывает санитарке? Он с ней заодно, что ли? Против начальства, против Тамары, против врачей? Ещё хуже...

Дживан решил в кои-то веки извлечь выгоду из своего подчинённого положения. Кто нанимал тётю Шуру? Кто руководитель подразделения? Вот пусть и выкручивается как знает.

В конце концов, у Дживана сейчас есть собственная задача, куда важнее. Ему людей нужно спасти — а Тамара пусть разбирается со старой алкоголичкой.

Стало быть, с этой секунды Дживан тётю Шуру не видит, не слышит. Её больше нет.

— Вишь, сегодня одна... — пожаловалась санитарка, не замечая великого оледенения. — У Ирмы Иванны сахар. Тамара Михална ей говорит, давайте уже домой. Ирма Иванна говорит, не пойду, на сутки останусь. Тамара Михална её насильно прогнала...

Александра Степановна Ломоносова, тётя Шура, в прошлом совхозный ветеринар, медвежеватая,

80

с большим носом бульбой, выглядела забавно, уютно. Дживан, правда, знал, что, как и другие совхозные, тётя Шура очень себе на уме: болтает вроде болтает, а лишнего никогда не сболтнёт. Выносливая, не раздражительная — да. Темперамент вполне подходящий для санитара в психушке. Однако при этом ни капли сентиментальности: Дживан хорошо представлял, как тётя Шура пошучивала со своими коровками, лечила, кормила, оглаживала, охлопывала богатырской рукой — и в свой час отправляла на бойню...

Из дальнего конца коридора, нарочно расталкивая других пациентов, проложил себе путь человек с полным подносом мензурок — и чинно опустил поднос на железный столик у раковины. Человек был тщедушен, жёлт лицом, одет в мешковатые больничные штаны — и в домашнюю, собственную рубашку с нагрудными карманчиками.

Степенно, с явным сознанием своей миссии, он стал выгружать в раковину пластмассовые мензурки, которые использовались для раздачи лекарств.

— Видал, чего у нас? — продолжала между тем тётя Шура. — Пятую койку поставили!

Дживан и сам успел отметить, что в коридоре возникла очередная кровать.

— Вообще уже не протиснисси, как сялёдки... В надзорку вчера нового положили, по скорой. С Путиным совещается. По космическому телефону... Суслов! — тётя Шура заметила непорядок. — Суслов, я т-тебе!.. Оставь тапок в покое!..

Тётя Шура хотела было сказать что-то ещё, но в этот момент желтолицый, выгрузив все мензурки, шагнул к Дживану и, всей фигурой и лицом выказывая исключительное почтение, даже чуть-чуть приседая коленями и головой, с умильной улыбкой подал Дживану ладонь. Когда он улыбался, было видно, что от передних зубов остались только чёрные корешки. После секундного колебания Дживан пожал протянутую руку.

Это мимолётное происшествие также имело свой скрытый смысл.

В силу ряда причин как психологического, так и, увы, гигиенического характера медработники лишний раз не прикасались к больным: разумеется, пациентов кормили, переодевали, перевязывали, убирали за ними — но либо в перчатках, либо сразу же мыли руки.

Без сомнения, всё это знал желтолицый эпилептоид в рубашке с карманчиками. Его звали Денис Евстюхин — как и Виля, он был из старожилов. В отличие, например, от Полковника или от Славика, Денис считался "сохранным", то есть не требующим пристального надзора, и даже входил в неформальный актив: мыл полы, тарелки в столовой, мензурки; помогал разгружать инвентарь и аптеку, разносил еду лежачим... В отделении было скучно, и даже такой набор поручений воспринимался как привилегия. Активисты пользовались мелкими послаблениями: могли выпить чаю не в установленные часы, а когда захотят; им перепадало печенье от санитаров или сигареты, забытые выписавшимся больным... Но при всей своей внешней "сохранности" и угодливости, Денис мог накапливать ярость по самому пустяковому поводу. Едва выйдя на волю, затевал драки и дрался жестоко, хотя был хилым, щуплым, — это всегда заканчивалось одинаково: его избивали до полусмерти. Даже здесь, в отделении, получая сильные корректирующие лекарства, Денис оставался собой: так люто возненавидел одного шизофреника, что их пришлось развести по разным палатам.

И вот этот Денис, расплывшись в сладчайшей, елейной улыбке, протянул руку медбрату. Несмотря на униженный вид, он прекрасно знал, что допускает непозволительную вольность. В любой другой день рука осталась бы висеть в воздухе. Но сегодня — не вчера и не завтра, а именно сегодня — Дживану по-настоящему необходима была помощь. И вряд ли кто-то мог оказаться полезнее, чем злопамятный и упорный Денис. Изображая приниженность, он, тем не менее, ждал, руку не убирал — и Дживану почудилось, что он всё чувствует, чует каким-то звериным — может быть, обострённым болезнью — чутьём...

Короче говоря, Дживан пожал влажноватую руку. Денис как ни в чём не бывало вернулся к раковине, натянул гигиенические перчатки и принялся мыть мензурки.

Кстати! Не мог ли сам Денис Евстюхин оказаться пироманом? Почему бы и нет…

— Вода огонь не потуша́ет! — слышалось в коридоре. — Кар! Огонь воды не осушает, вода огонь не потушает… — декламировал именно тот шизофреник, объект ненависти Дениса, недавно перечислявший все города и посёлки Южной Америки, Костя Суслов по прозвищу Кардинал.

Мизерабли любили яркие клички, словечки — порой действительно идиотские, но иногда образные и меткие. Узкий коридор для гуляния назывался взлётно-посадочной полосой или, коротко, взлёткой. Бровастый мужчина, круглосуточно спрашивавший, когда мама приедет, стал Мамкой. В чести были державные титулы: имелись Кайзер Вильгельм, Барбаросса — и вот Кардинал. Костю Суслова так нарекли за карканье и за проповеди: он вставал посреди коридора и, сняв с ноги тапок, торжественно поднимал — носком вверх, подошвой вперёд. Этот воздетый тапок действительно напоминал что-то церемониальное: не то скипетр, не то какую-то остроугольную митру…

— Вода огонь не потушает, огонь ея — не осушает! Кар. Поэт Львов, кар-кар! Поэзия… львов!.. И тигро́в, — вещал Костя.

Многие мизерабли на улице не привлекли бы особенного внимания. Тот же Денис, хотя и выглядел неаппетитно со своим жёлтым лицом и сломанными зубами, но не до такой степени, чтобы на него стали оглядываться прохожие. А на Косте лежало клеймо. Он был высок, тощ, с очень слабым, качавшимся при ходьбе позвоночником: расхаживая по коридору, поднимал колени, как цапля, и с каждым шагом подныривал шеей. К этому добавлялся уродливый лягушачий рот, оттопыренные уши, сильно скошенный лоб, очень близко и глубоко посаженные глаза...

— Поэт Львов, восемнадцатый век! Историческая поэзия, кар. Я историк!

— Ты не историк, ты истерик, — отозвался Денис, намывавший мензурки, и сразу взглянул на Дживана, оценил ли тот каламбур.

— Я великий историк! — не сдался Костя. — Поэт тигров... Тигро́в!

— Бред, — огрызнулся Денис.

— Бред насущный! — парировал Костя. — Я бред кар, ты бред кар-кар, они, мы, вы бред кар-кар-кар. Всё бред...

За окнами уже было темно.

Дживан подумал... или, точнее, Дживан стал проникаться мыслью — как ткань напитывается водой и тяжелеет, темнеет, — что ему предстоит провести вечер и ночь в компании мизераблей и пожилой, совершенно чужой ему санитарки, — и в первый раз после того, как он победителем, с прямой спиной, после двух почти бессонных ночей вышел из пятиэтажки на ПВЗЩА, Дживан почувствовал, что устал. Усталость пропитывала всё тело, плечи, спину, затылок. И ещё Дживан осознал… нет, опять же, не осознал, а, скорей, ощутил, — насколько трудно будет определить, кто из тридцати шести мизераблей вчера чиркнул спичкой.

— Ку-да?! — Тётя Шура грузно поднялась с места и двинулась за Полковником, который, еле переволакивая дрожащие ноги, придерживаясь за стеночку, тащился к двери. — Куда отправился? А? Чего? Громче рот открывай!

— Хорошо… — прошептал Полковник одними губами.

— Вижу, что хорошо. Вон туда тябе! — Тётя Шура развернула его за плечи легко, как игрушечную машинку, которая упёрлась в стену, но завод у неё ещё не кончился. — Туда, понял? Туда иди!

Полковник пошаркал в противоположную сторону. Дживан увидел, что на левой щеке и на лбу у Полковника — большой красно-синий кровоподтёк. В надзорной палате Дживан этого не заметил, потому что Полковник лежал, отвернувшись к стене.

— По тумбочкам шарился, паразит! — буркнула тётя Шура. — Свои же и наказали. Старый, сосудики слабые — сразу вон синяки…

Отодвинув Дениса от раковины, тётя Шура вымыла руки — и просветлела, как будто вспомнила что-то радостное и важное:

— Ковтуна, Ковтуна помнишь? Гасю твоего всё жалел? С шишкой на голове? Умер!

— Да? Отчего?.. — рассеянно отозвался Дживан: он задумался и на минуту забыл, что тётю Шуру следовало игнорировать.

— Та-а, отчего в Колыванове умирают. Нябось не покормили, и умер. Три недели как перевели… У нас сколько он был? лет пять?.. Какой пять! Он у нас был лет восемь, девять вожжались с ним, а в Колыванове, видишь как: раз — и… Заманал дрызгать! Обдрызгал мне всё тут! Пошёл! — вдруг рявкнула она на Дениса. — Выключил воду давай, пшёл, мордва!

— Я же помогаю… — опешил Денис.

— Помощники, млеть… поговорить не дадут… блюдолиз…

Колываново, упомянутое тётей Шурой, когда-то считалось отдельным медучреждением, интернатом для хроников — и фактически таковым оставалось. Но де-юре оно теперь входило в состав центральной больницы Подволоцкого района, ЦРБ. Первое психоневрологическое отделение (в котором работал Дживан и которым заведовала Тамара), второе (женское) и третье (наркологическое) размещались в усадьбе Пучкова, а четвёртое (Колываново) — в восемнадцати километрах: по шоссе, потом вбок и вниз по грунтовке, заброшенная деревня, и на задворках — барак.

Дживан был опытным медиком — не просто медиком, а психиатром, и многое повидал. Но после того, как ему пришлось в первый раз побывать в Колываново, Дживану стал время от времени сниться сон.

Дживана вроде казнили — непонятно за что; впрочем, важна была не причина, а сам процесс, напоминавший повешение, — хотя не было ни петли, ни верёвки. Дживана ставили на что-то твёрдое — может быть, на ту самую табуретку, с которой он в детстве, как полагалось, читал стихи, — а потом это твёрдое из-под него выбивали. Вот и вся казнь.

Физической боли не было: Дживан не ушибался, его ничто не душило, — но он испытывал необъяснимое потрясение оттого, что из-под ног исчезала опора. Один миг под подошвами оставалась тоненькая, как плесень на мягком сыре, плёночка — под человеческим весом сразу же прорывалась, и Дживан — очень медленно, постепенно, почти неподвижно — проваливался во что-то блёклое, почти бесплотное, вроде мягкой-премягкой ваты, немного влажной, или пуха с какими-то слизистыми паутинками, волосками.

Ужас — тусклый, бескровный — заключался именно в том, что в этой мягкой вате не за что было схватиться, не на что опереться: нельзя было остановить падение или замедлить. Последним истошным движением Дживан делал попытку вырваться, вывернуться — и просыпался.

Никто не хотел идти работать в четвёртое отделение. Даже в первое, со времён Владимира Кирилловича считавшееся во всей ЦРБ образцовым, уже больше месяца не могли найти санитара — а от Колыванова как от огня шарахались последние деревенские забулдыги. Заведующий "четвёркой" сам превратился в забулдыгу — все в ЦРБ это знали. Дживана дважды вызывал замглавврач, рисовал хитроумную комбинацию, в результате которой Дживан, медицинский брат без диплома о высшем образовании, делался исполняющим обязанности завотделения с зарплатой как у Тамары, со льготами и соцпакетами... Но, во-первых, горой вставала Тамара — а главное, сам Дживан отказывался наотрез.

В родном отделении тоже бывало несладко. Бывало страшно. Бывало физически неприятно — хотя по сравнению с тем, как пахло в "четвёрке", первое отделение могло сойти за альпийский луг: вернувшись из Колыванова, Дживан немедленно снял с себя и перестирал всю одежду, и сам мылся, мылся, извёл всю горячую воду в колонке, не мог отмыться. В первом психоневрологическом отделении тоже что-то могло напомнить — и порой напоминало Дживану — ту скользкую и морщинистую сырную плесень, кожицу, плёнку физического отвращения, но здесь под этой плёнкой ещё прощупывалось нечто твёрдое, осязаемое, ещё теплилась жизнь. А в Колыванове под плёнкой была пустота.

— ...Вишь как, Дживан Грандович, мы тут с ними возимся, канятелимся, а в Колыванове по хрену, ел ты — не ел ты; не ел — и не надо. Вон, три недели, и это... Михална — помнишь, меня подменяла? — я ей говорю: что ж вы там за нашими не глядите?..

Дживан не слушал. Он наблюдал и фиксировал: вот Нурик из третьей палаты замер и вглядывается в притолоку. Что-то там видит своё. Хотя утверждал, что галлюцинации прекратились... А если бы голоса приказали ему поджечь дверь — послушался бы? Свободно. Нурик у нас получал трифтазин... дозировка?.. Так, у Нурика дозировочку посмотреть...

Вон Гася еле идёт: ноги такие тяжёлые, что он их не поднимает, а переволакивает, как на лыжах... Гася? Нет, у Гаси этой ночью был приступ...

Костя Суслов, наоборот, поднял длинную ногу, как аист: высматривает, куда наступить. Решился! Быстро, на цыпочках, перебежал коридор, как будто реку по льдинам, и встал навытяжку перед последней, пятой кроватью.

На дальней койке спиной к Дживану полусидел пациент: было видно коричневую щеку, плечо в яркой футболке, квадратное лоснящееся от загара колено. Костя сделал несколько замысловатых, возможно магических, жестов. Донеслось нечто вроде "ми-ло-сти-по-ве-ле-ва..." Коричневое колено описало в воздухе полукруг, лежавший легко приподнялся, опустил ноги на пол и оказался в профиль

к Дживану. Уже одно это плавное перемещение —
взмах-подъём-поворот, — исполненное лениво
и в то же время компактно и точно, выглядело не-
обычно по сравнению с неуверенно-скованными
движениями большинства мизераблей. Обладатель
коричневого колена и внешне разительно отли-
чался от остальных, жёлто-пергаментных и бледно-
синюшных. Это был юноша лет восемнадцати, невысокий, но пропорционально сложённый, с кра-
сивым восточным лицом.

Дживан почувствовал, как внутри шевельну-
лась та самая ярость, которая несколько дней назад заставила его бушевать в минимаркете; та же
ярость, с которой он час назад мечтал с хрустом
сломать нос младшему скобарю. Дживана всегда
возмущало неравноправие. В стационаре было положено находиться в пижаме. Денису Евстюхину
разрешили собственную рубашку с карманчиками — как особую привилегию, за общественную
активность. Гасе оставили собственные штаны —
просто за неимением, не выпускали пижамных
штанов такого размера. А на малолетнем паршив-
це, с которым сейчас разговаривал Кардинал, вообще не было никакой больничной одежды: цветная
футболка и шорты. За какие такие заслуги, позволь-
те спросить? С какой стати?

Красивого юношу звали Амин. Его родного
отца, Миро Шамоевича Шамилова, весь город Подволоцк знал по имени — Миро или просто Мир.

Ему принадлежали торговые центры "Мебельный мир", "Дачный мир", "Электронный мир", "Мега-мир" и несколько магазинов поменьше, "миры" плитки, обуви и т.д. Пожилой и — по меркам Подволоцка — несметно богатый отец никогда не навещал сына в больнице. Мать время от времени забегала. Она совсем не была похожа на мать взрослого сына — в лучшем случае, на сестру-близнеца. По городскому преданию, Миро выкрал её прямо с конкурса красоты, когда ей было не то семнадцать, не то пятнадцать. Жениться — нет, не женился, зато подарил трёхкомнатную квартиру. Рассказывали, что Миро предлагал сыну отдельную жилплощадь и долю в бизнесе, но тот остался с матерью, к которой относился скорее как к бестолковой подружке. Вместе с ней зашибал. А также нюхал, курил и глотал всё подряд. Уже трижды попадал сюда, в психоневрологическое отделение…

На сей раз дело не ограничивалось абстиненцией. Будучи, как обычно, под кайфом, Амин с дружками угнал чужую машину. Подобное с ним случалось и раньше, сходило с рук: Миро умел делать дела, умел и заминать. Но сейчас — по сплетням, "не ту машину угнали": якобы "ауди" была набита какой-то спецсвязью, и с перепугу обдолбанные угонщики её сожгли. С дружков уже снимали показания в городском СИЗО, а Шамилова-младшего оперативно упрятали в дурку. Скорее всего, Миро договорился с директором ЦРБ; может быть, и Тамаре кусочек перепал. Дживану претило не то, что все, кроме него, заработали — *тапш, дашбаш*, дело житейское, — Дживана бесил пиетет, окружавший восемнадцатилетнего сопляка. Даже тётя Шура, которая одинаково костерила всех мизераблей, Амину не говорила ни слова. Дживан, напротив, взял с Шамиловым-младшим пренебрежительный тон, называл его "инфант", "инфант-террибль". Паршивец, однако, по большей части молчал, никакого особенного чванства за ним не наблюдалось. Почти каждый день его навещала девушка, заметно старше Амина, лет, может быть, двадцати пяти, не классическая красавица, как его мать, но очень живая, смешная и привлекательная. Иногда мать и девушка являлись вместе, мать выглядела, пожалуй, моложе. Мать обычно была налегке, девушка таскала паршивцу сумки с едой... Первые дни его держали в надзорной палате — туда, по правилам, помещали каждого новоприбывшего, — а вчера или позавчера, пока Дживана не было в отделении, инфанта перевели в коридор.

Сейчас, после того как Костя отвесил ему поклон, будто обмахнув линолеум невидимым плюмажем, Амин что-то поднял со своей койки и дал Кардиналу. Схватив добычу, тот перебежал коридор, уселся на стул рядом с надзорной палатой, почти напротив Дживана, и напустил на себя светский вид, словно он на бульваре де Монпарнас: забросил нелепую голенастую ногу за ногу, откинул нелепую голову с выставленными ушами, и на прямых руках раскрыл перед собою журнал.

Это был именно тот журнал с испанским принцем на обложке. Дживана кольнуло: он сам, взрослый сорокалетний мужчина, квалифицированный медицинский работник, дежуривший по двенадцать, а иногда все пятнадцать смен в месяц, не позволил себе купить... а паршивец шутя подарил первому встречному — настолько для него были ничтожны эти двести с чем-то рублей, таким они для него были плевком...

"А вот ты, милый мой, и поджёг!" — вдруг осенило Дживана.

В следующее мгновение грузная санитарка с удивительной для её комплекции резвостью вскочила со стула и, как могла, вытянулась во фрунт: дверь распахнулась, в лечебный отсек вошла заведующая отделением.

— Уже разносим, Тамара Михална, готовимся к ужину... — залепетала тётя Шура.

Не удостоив её взглядом, Тамара бросила:

— Дживан Грантович, идём.

Очевидно, Тамара ещё раньше успела понять, что санитарка под мухой, но, как Дживан и просчитывал, не имела возможности сказать это открытым текстом: пришлось бы уволить, а заменить было некем, и т.д., и т.д., — поэтому тётя Шура временно перестала существовать. Широким печатным шагом заведующая прошла до конца коридора, Дживан за ней.

— Видал безобразие?! — провозгласила Тамара, указывая на пятно сажи. Вставила ключ и открыла свою высокую дверь с резными филёнками.

Больше тридцати лет комната принадлежала Владимиру Кирилловичу. Считалось, что это лучший кабинет в ЦРБ. Здесь пахло именно так, как должно было пахнуть в старорежимном, давным-давно обустроенном кабинете: кожей и книгами, — хотя шкафы были заставлены по большей части папками с историями болезни, а просторный диван был обит не кожей, а дерматином. Вот кресло действительно было начальственное, настоящее — и заскрипело так, как скрипит натуральная кожа, когда Тамара со стонами облегчения принялась стаскивать сапоги. Юбка слегка задралась, мелькнули сильные икры.

Дживан сделал движение к двери:

— Я подожду в коридоре, Тамара Михайловна?

— Сядь, некогда, — прокряхтела Тамара из-под стола, надевая туфли. И сразу принялась жаловаться: — Ножкой на меня топнул, ты представляешь?! Ну я ему дала прикурить... — с этими словами Тамара и вправду вытащила из сумочки свои тонкие сигареты и прямо здесь же, сидя за столом, закурила.

— Что это вы себе позволяете, Тамара Михайловна?

— Безобразие, Дживан Грантович. Плохо себя веду. Будь лапой, открой окно: ноги гудят...

Дживан, немного помедлив, встал и приоткрыл оконную створку. От "лапы" его покоробило так же, как давеча от "целую". Не будь Тамара его начальницей, Дживан, может, и не стал бы возражать против "лапы": Тамара держалась в форме, только в самое последнее время в её гардеробе появились твёрдые жилетки, вроде жокейских. В ней вообще было что-то конноспортивное: она бы отлично смотрелась берущей препятствие за препятствием.

— Что это за мужик вообще?.. — продолжала Тамара немного спокойнее. — Прямо руки трясутся...

— Из-за пожара в Новгороде?

— Да, да, да! У вас, говорит, перегружено отделение, немедленно разгружайте. А куда я их дену всех? Я вообще не обязана... Ножкой на меня будет топать...

"Обязана, уважаемая, кто же обязан, если не ты?" — подумал Дживан, но промолчал. Нельзя было женщину ставить начальником. Вот она фыркает — а разве при Владимире Кирилловиче такое бывало? В палатах койки стоят вплотную, еле протиснешься; коридор заставлен, как в полевом госпитале. Так что фыркай не фыркай...

Психиатрия всегда отличалась слабой ротацией пациентов. Больные здесь жили долгими месяцами, а некоторые — годами. Кого-то родственники отказывались забирать. Кому-то некуда было деваться:

вот Виля, в сущности, бомжевал. Бесперспективных больных — таких, например, как Полковник — разрешено было переводить в Колываново простым внутренним распоряжением за подписью замглавврача. Дживан хорошо представлял себе этот росчерк, напоминавший пружинку: вжик, дзынь, — закутанного Полковника вывели бы на крыльцо, посадили в "буханку" — и освободилась бы койка в первой палате…

Всё бы так, но Полковник принадлежал к разряду коммерческих пациентов. Родственники за него немного приплачивали. И не вчёрную, как за инфанта, а через больничную кассу. Благодаря таким платным больным Тамара могла выписать санитарам премию, заменить сгоревший компьютер, вне очереди докупить матрасы или бельё: больные рвали что под руку попадалось, а новое выдавали на складе раз в год… В общем, прежде чем отказаться от "платника", — требовалось хорошенько подумать.

Не только деньги мешали переводить больных в Колываново. За Славика и за Гасю никто не платил. Старшая медсестра Ирма Ивановна намекала, что многие месяцы состояние без изменений… Дживана бесили такие намёки. Выжившие из ума старики — пусть. Когда деменция на продвинутой стадии, может, и впрямь уже почти всё равно… Кто может знать достоверно. Но молодых людей — заживо похоронить в Колыванове?! Учитывая, что к Гасе "похоронить" относилось бы совершенно буквально: у него был запущенный инсулинозависимый диабет, он и в первом-то отделении, образцовом, терял сознание, приходилось откачивать, — а в Колыванове просто загнулся бы через неделю, как этот, как его… ну, про кого рассказывала тётя Шура… Ковтун.

В итоге оказывалось, что отправлять в Колываново некого. Этих по-человечески жалко, за тех деньги платят. Правда, в последнее время по отделению прошёл слух: якобы Ирма Ивановна составила список — и этот список кто-то уже завизировал…

— Дживанчик, ты лучше скажи: кто поджёг мою дверь?

Дживан многозначительно промолчал.

— Нет, нет, ты знаешь! Ты всё знаешь, Дживанчик. Ты чювствуешь… — У многих русских встречалась эта загадочная манера: разговаривая с кавказцем, они пытались изобразить акцент. — …Чю-ювствуешь… Знаменитая интуиция — неужели молчит?

— Лестно слышать, Тамара Михайловна. Боюсь, вам моя интуиция нс поправится.

— Почему? Очень нравится, всегда нравится, говори!

— Интуиция мне указывает на Шамилова.

Заведующая поскучнела и отвернулась к окну.

— Шамилову-то это зачем?

— Разве пироман знает, зачем? Пироман поджигает, вот так, — Дживан щёлкнул пальцами, — это импульс…

— Так вот не импульс здесь, ты понимаешь, не импульс! Если я пироман, я хочу, чтобы горело, — ну правильно? Значит, я собрал в кучу, что лучше горит, одежду, не знаю, мусор! матрас... А здесь — смотри, какое странное поведение: я поджигаю чтó? Подоконник. Зачем? Он же бетонный. Раз поджёг, два поджёг — какая-то ерунда, я же вижу, что не горит, зачем я это делаю?..

"Если всё сама знаешь, зачем меня вызывала?" — с досадой подумал Дживан. Зря пришёл. И зря сел на диван, надо было остаться стоять, разговаривать сверху вниз. Зря откинулся на мягкие дерматиновые подушки: сразу потянуло в сон...

— А может, — не унималась Тамара, — я таким образом привлекаю внимание? Предупреждаю о чём-нибудь, посылаю сигнал? Или поиздеваться хочу: пусть побегают, пусть подёргаются?.. Или это какой-то протест? Дживанчик Грантович, ты всех их знаешь: у кого может быть скрытый протест? Скрытый гнев?

Дживан подавил зевок:

— У любого.

— И эта пьяница, — переключилась Тамара, — глазами хлопает: "Я ня спала! Что вы, что вы, Тамара Михална, ня спала", а у самой вся щека в этих красных… И больные молчат! Дживан, я работаю двадцать пять лет: все всё знают — всегда! Что было, знают и чего не было, знают. Не скроешь вообще — ни от кого, ничего, никогда. А здесь — кто поджёг, неизвестно, как выбрался, как прокрался… Это вообще что такое?

— По моему скромному разумению, Тамара Михайловна, не иначе как… сумасшедший дом.

Тамара расхохоталась. Вот смех у неё был приятный, грудной.

— Если моё мнение интересно, я предлагаю двигаться в двух направлениях. Во-первых, подробно опрашивать. Всех по очереди вызывать. Раньше, позже — что-нибудь мы услышим. И одновременно — конфисковать спички и зажигалки. Все до одной.

— И скажи: кто не сдаст, немедленно отправляется в Колываново!

— Всё устроим как нужно. Но я считаю, это мера больше психологическая. Зажигалку мы ещё сможем найти, а несколько спичек и чиркалёк — спрячут под простынёй, в обоях, за батареей… И даже если найдём — на свиданиях новое передадут, за каждым не уследишь…

— Свидания, — закивала Тамара. — Ты слышал, грипп ходит какой-то плохой? Во втором отделении половина болеет. Может быть, карантин на недельку? Почему всегда всё одновременно, Дживанчик?

— Тамара Михайловна, я ещё что подумал: давайте Филаткина переведём на пролонги?..

В дверь кто-то поскрёбся.

— Да! — недовольным тоном сказала Тамара, выпрямившись за столом.

Никто не входил.

— Александра Степановна!

Дживан подошёл к двери, открыл. Вместо тёти Шуры за дверью обнаружился маленький Нурик.

— Ты что тут забыл? — грозно спросила Тамара. — Ты как здесь оказался? Дживан Грантович, что больной делает во врачебном отсеке?

— Я пришёл… рассказать… — прошелестел посетитель.

— Что? О чём?

— Кто испортил вам… дверь…

— Ты знаешь, — вмешался Дживан, — кто поджигал эту дверь? Так, садись.

Дживан бросил победный взгляд на Тамару. И проскользнуло секундное разочарование: всё так буднично разрешилось.

— Я знаю, — закивал Нурик, — я знаю, знаю… — шептал он всё тише, при этом наклонял голову и выгибался, сползая со стула, словно его тянули за ухо вправо и вниз.

— Нурик! — окликнула его Тамара.

— Да? — с готовностью встрепенулся маленький человечек. — Да, Нурик.

— Ты пришёл рассказать, кто испортил мне дверь. Так?

— Так, так, так. Кто испортил мне дверь... вам дверь... — Нурик сполз ещё ниже, как будто пытаясь рассмотреть под столом Тамарины ноги.

— Кто? Фамилия?

— Фами... ли... Фамилин. Фамилин фамилия. Кто испортил. Фами... лов. Фамилов.

— Фамилов?

— Да!

— Может, Шамилов? — подсказал Дживан, уже понимая, что торжествовать было рано.

— Шамилов. Фамилов. Шамилов.

— Или Шумилов? Швальной? Матюшенков?

— Да... нет...

— Может, Нурик?

— Нет, не Нурик... Шамилов, Фамилов... А почему у вас точка?..

— Что?

— Здесь под столом, почему у вас эта чёрная точка?

5

Ха-ха, смешной коротышка.

Пыжился, делал значительное лицо, стоял украдкой позёвывал. Воображал себя Шерлоком Холмсом.

Признаюсь: были минуты, когда становилось не по себе. Помню, как подхожу, беру стаканчик с лекарствами — он пристально смотрит. Обычно я оставляю дрянь за щекой, потом выплёвываю в туалете — или в палате спрячу в карман, а потом уже выброшу... Но под взглядом — пришлось проглотить...

Выслеживал меня, мерзость? Искал меня, самовлюблённая гнусь? Подбирался? Кусай теперь локти! Вскакиваю на фальшборт — восхитительно ловкий, упругий, как акробат, — пружинисто, с силой отталкиваюсь — лечу руками вперёд, с восьми метров — строго перпендикулярно вонзаюсь в воду — и открываю глаза!..

В морской толще мутно, как в моей голове от лекарств. Внизу что-то тёмное опускается, тонет... Помнишь, как Минька облокотился на леер — на тонкий трос, огораживавший балкончик-спонсон, — и провалился, потому что трос не был закреплён? Это действительный случай, я его позаимствовал из морских мемуаров: видишь, у меня всё идёт в дело, некогда рассусоливать, подушка быстро горит, остаются минуты.

Так вот, Минька сорвался с высоты третьего этажа: не умел плавать, в жизни не прыгал в воду, ушибся, прогарные башмаки потянули его в глубину... и мог нелепо утонуть прямо в гавани, в считаных метрах от берега, — как вдруг сверху белый бурлящий столб! — Миньку обхватывают железной хваткой, что-то острое упирается ему под вздох, в солнечное сплетение, — и толчками, раз, два, его выдёргивают, выталкивают на свет! — рядом шмякаются спасательные круги, двухцветные, "Цесаревичъ", брызги!.. Почему-то особенно выпукло представляю, как планирует и, помедлив, углом въезжает в воду длинный матрас, ныряет, болтается на волнах... Ты помнишь, чем набит этот матрас? Я уже говорил, пробкой, толчёной пробкой. Не тонет, легко выдерживает на воде человеческий вес.

После падения Миньку и его героического спасителя — обоих на день освобождают от вахт. Минька, пришибленный и притихший, не отходит от бывшего своего противника ни на шаг.

Между тем всё готово к отходу из порта Августы. Котлы под парами, палуба ощутимо дрожит. Трапы убраны, гребные суда подняты на шлюпбалки. С грохотом выбирается якорь, и очертания берега, примелькавшиеся за несколько дней стоянки, начинают ползти — Миньке, как всякий раз при отходе, кажется, будто творится нечто противоестественное: сдвигается с места его жильё. Винты плещут, расходятся круглые волны, качая лодчонки, которые с верхней палубы выглядят совсем утлыми.

Через залив Августы три корабля — "Цесаревич", пузатая "Слава" и длинный крейсер "Макаров" — движутся на юго-восток, в направлении Сиракуз. В три часа пополудни облака уже розовеют, в предзакатное небо текут дымовые колонны. За кормой "Цесаревича" бледная расплывшаяся луна. На выходе из залива качает.

Вскоре по правому борту видны утёсы; в утёсах — глазницы пещер. Минькин спаситель рассказывает: Сиракузы окружены подземными лабиринтами. Ещё от греков остались колодцы и коридоры, затем венецианцы прорыли много новых тоннелей, следующими потрудились испанцы: подземные переходы тянутся от катакомб святого Джованни до старого капуцинского монастыря…

Переход в Сиракузы занимает не больше полутора часов. Крейсер "Макаров" отдаёт якорь на внешнем рейде, а "Цесаревич" и "Слава", салютовав, входят в просторную круглую бухту. На западе горы резко чернеют на фоне горящего неба. По матовой, будто дымной поверхности скользит лодка, за ней, как разрез, расширяется треугольный тёмно-огненный след.

Сиракузы и вся Сицилия сто лет назад — дремучие выселки, захолустье Европы. Но в эти календы, в дни, следующие за католическим Рождеством, здесь собралось небывалое множество кораблей: испанский "Император Карл Пятый", португальский "Васко да Гама", французский линкор "Жюстис" ("Откуль ему знать? — лениво думает Минька про Невозможного. — Балабошит, врёт что попало…"), британский крейсер "Сетлей", североамериканский "Монтгомери" — все корабли иллюминованы от клотика до планширя. Волны взблёскивают, отражения бегут по чёрной воде. Доносятся звуки оркестра.

— Слышишь? — вскидывается Невозможный матрос. — *"Глория, глория! Корона де ла Патрия…"*

При слове "корона" он ударяет себя кулаком пониже шеи с таким видом, как если бы эта корона была у него на груди:

— *"Оро, оро эн ту колор! Пурпура и оро…"*
Невозможный и Минька — на полубаке, у "ночника": в большом чане плошка с масляным фи-
тилём. На лице у Матроса — тёплые отблески. Он
вытаскивает из-за пазухи и разворачивает газету.
Большие буквы. Нерусские. Перелистывает страницы.

— Смотри: пишут, что вот — испанский король…
Скажи мне, простой человек, похоже ли это чучело
на испанского короля?

В неровном свете — подслеповатая, пропеча-
танная полосками фотография: юноша в эполетах,
с лентой через плечо. Лицо длинное, губы выпяче-
ны, уши торчат. Глаза посажены так глубоко, что
на снимке — только тёмные пятна, ямы.

— Завтрашний день станет днём величайшего
торжества. Испания обретёт настоящего короля…
Это я.

Я, я — император Рима, король Германии, Арагона,
Кастилии, островов Балеарских, Канарских и Ин-
дий, эрцгерцог Австрии, герцог Бургундии и Люк-
сембурга, пфальцграф Голландии и Зеландии, государь Каталонии…

Я — любимый. Я твой. Лучший в мире. Единственный, уникальный. Не для того я родился,
чтобы прозябать на 2-й Аккумуляторной улице,
между военной частью и гаражами; не для того,
чтобы утром меня раздирала зевота от люминес-

центного света; не для того, чтобы слушать про "крестики" (у медсестёр есть тетрадка, они отмечают, кто и сколько раз опорожнился, с этого начинается каждое утро), повторяющиеся по кругу убогие шутки, санитарское обсуждение урожая картошки, крупная, мелкая, уродилась, не уродилась, мычание и хихиканье слабоумных, — всё это оскорбляет меня: бесстыдная бледная кожа, грязные волосы, выставленные животы, провисающие штаны, простыни и бельё в пятнах, вонючая ветошь на батареях — я больше не хочу смотреть на это уродство, не хочу прикасаться к этому людскому месиву, к этой дряни, будто нарочно созданной для издевательства над нами: Подволоцк, карикатурное "ПэВэЗэЩА" — всё это какая-то дикая фантасмагория…

Мне! — мне по праву рождения принадлежат сказочные богатства, корона мира. Я король мира. Король небесной Испании.

Коротышка пытался выспросить, выведать про меня. Перед раздачей лекарств объявил: мол, кто не подчинится, кто сам не отдаст сокровища в его гнусные руки — сошлёт в Колываново. Меня! — хотел напугать Колывановым. Он плебей. Я плюю на плебеев.

Неужели хоть на минуту можно было поверить, что эти жалкие декорации, эти затхлые тряпки, клеёнки, мятые простыни — всё это и есть настоящее? Бред.

Настоящая — ты. Настоящие — мы с тобой. А всё это паскудство — Подволоцк, ПВЗЩА, Колываново, эти бараки, сараи, заборы, котельные, коротышка, — всё это пустотелое, как куриные перья, и такое же невесомое: дунешь и разлетится. Эта мысль вдохновляет меня, спина выпрямляется, будто бы расправляется мантия, немного кружится голова. Слушай дальше!

17 мая 1886 года в Мадриде, в восточном крыле дворца *Паласио Реаль*, на втором этаже, — родился младенец. В покоях матери, вдовствующей королевы Марии-Кристины, сохранялось траурное убранство. Всюду были расставлены фотографии Альфонсо Двенадцатого: когда королева была беременна принцем, августейший отец внезапно скончался в возрасте двадцати семи лет — по официальной версии, от туберкулёза. На самом же деле Альфонсо Двенадцатый был отравлен *мексонами*!

Как мы знаем, с тысяча пятисотых годов король Испании возглавлял тайный орден, объединявший цвет европейской элиты, — славный орден *гарсонов*. И по сей день над Испанией не заходило бы солнце, никогда не закончился бы Золотой век, кабы не пакостил вражеский орден — злокозненные *мексоны*.

Рождались и падали государства, высились крепости и города, их владыки яростно враждовали: войны, разгромы, победы и перемирия — почти все исторические перипетии с шестнадцатого столетия и понынс, и даже пскоторые катаклизмы, казавшиеся сугубо природными, — всё это было не чем иным, как скрытой битвой гарсонов с мексонами. Чаша склонялась то к нам, то на сторону тьмы: и вот к тысяча восемьсот восьмидесятым годам мексоны набрали невиданную дотоле силу. После победы Вильгельма во Франко-прусской войне и объявления Второго рейха и Тройственного союза как будто чёрные крылья расширились над Европой, надвинулась мрачная тень — а испанское солнце померкло.

Расправившись с королём Альфонсо Двенадцатым, злодеи потянулись своими когтями к инфанту. Заметь: впервые за сотни и сотни лет наследник рождался после смерти отца, поэтому должен был короноваться немедленно. Вдовствующая королева Мария-Кристина, едва перенесшая беременность, смерть молодого мужа и роды, — была бы не в силах сопротивляться: на этом и строился расчёт бесчестных мексонов. Они с младенчества одурманили бы несмышлёныша своей ложью, оледенили бы его сердце, расслабили волю — и славное дело гарсопов, осенённое тенью императора Карла, погибло бы безвозвратно…

Но этому не бывать! Ха! ха! ха! мексоны не подозревали, что семеро смелых, достойнейших грандов соблюли верность Марии-Кристине — и, главное, сохранили заветы великого Карла. Во главе доблестных непокорившихся грандов встал знатнейший из всех, дон Хуан де Бурбон-Сицилийский. Рискуя свободой, имениями и самой жизнью, сподвижники дона Хуана выкрали из дворца колыбельку — и на созданной по последнему слову техники субмарине отправили в заповедную снежномедвежью страну...

Нет слов, чтобы описать ярость мексонов. Когда они обнаружили, что младенец исчез, то в неистовстве были готовы кусать и кромсать друг друга, готовы были взорвать *Паласио Реаль*: они упустили наследника! По всей Испании, на весь мир было объявлено о рождении короля — где же он?

Во избежание разоблачения и мирового позора мексоны пошли на подлый — буквально — подлог: подложили другого младенца, родившегося двумя днями позже, а может, днём раньше, не мешкая короновали гугукавший фальсификат, с типично мексонским цинизмом присвоив ему имя Альфонса Тринадцатого.

На краю света, в чужом холодном краю, под неусыпной охраной, я рос, как Железная маска, окружённый надёжными слугами и самыми лучшими в мире учителями: от физики (постоянно преподавали Иван Боргман и Орест Хвольсон, наведывались супруги Кюри) до джиу-джитсу (занятия вёл сэнсэй Мацутаро)...

А в это время над вражеской камарильей качался дамоклов меч, маятник: что будет, когда объявится настоящий наследник и раскроется тайна мадридского двора? Как вода в половодье, поднимется гнев народов, и мексонам придёт неминучая (более чем заслуженная) погибель.

Испания наводнилась шпионами и ощетинилась патрулями, в небе кружили аэропланы, Атлантику бороздили дозорные корабли. На дне Альборанского и Балеарского морей, Лионского и Бискайского заливов, в недрах Иберийской впадины словно мурены, сарганы и барракуды залегли подводные лодки (в секретных лабораториях создавалось вооружение, намного опережавшее эпоху).

О том, чтобы короноваться в Мадриде, речи не шло. Втайне мы получили согласие одного из высокопоставленных гарсонов, португальского короля Карлуша, на коронацию в Лиссабоне, в *Паласиу да Ажуда*: по-португальски "*ажуда*" — "помощь"… 19 января 1908 года в шестом часу вечера Карлуш Первый с женой, королевой Амелией, и двумя принцами ехал в открытой коляске — и на Арсенальной улице был убит тремя выстрелами из карабина. Так наш царственный брат поплатился за согласие оказать мне услугу, *ажуда*, — а также, увы, за несовершенство своей контрразведки…

Пришлось нам забыть о европейских столицах. Дон Хуан де Бурбон-Сицилийский предоставил для коронации — или, как выразились бы через сто лет, пролоббировал свою вотчину, Сиракузы.

Местечко, признаться, довольно глухое — но само имя хранило древние, карфагенские отзвуки; историческая испанская территория; и главное — дон Хуан ручался, что важные гости останутся целы и невредимы.

В дальней снежной стране заблаговременно был сформирован "гардемаринский отряд" — эскадра из нескольких броненосцев и крейсеров, якобы для обучения курсантов-гардемаринов. Эскадра дважды ходила в учебные плавания вокруг Европы, месяц стояла в испанском городе Виго, мексонские лазутчики и доносчики всё обыскали, обнюхали, бдительность наших врагов была усыплена.

Очередные, третьи по счёту манёвры были рассчитаны таким образом, чтобы в назначенный день корабли подошли к Сиракузам. Возникла, на первый взгляд, маленькая техническая загвоздка: место наследника в экипаже…

В те времена морское офицерство было закрытой кастой — к примеру, в той самой гардемаринской эскадре служили Беренс-первый, Зотов-второй, Стемман-второй, Барановский-второй (Павел Наполеонович), Рыбкин-третий и сразу три Бутаковых: один на "Славе", двое на "Богатыре". Практически все морские фамилии были наперечёт. Появись офицер непонятно откуда — родилось бы недоумение, поползли слухи — и едва эти слухи достигли бы острых мексонских ушей, как наперегонки поскакали бы гонцы в Мадрид, затрубили трубы на башнях, взвились в небо аэропланы, всплыли из морских недр субмарины, и отовсюду — снизу, из океанских глубин, и сверху, из поднебесья, — вся мексонская мощь обрушилась на "Цесаревич" и гардемаринский отряд…

Я предложил гениальное и простое решение. Меня одели в бушлат, и я растворился в серой матросской массе. Кто смотрит на нижних чинов? Кто их различает? Дюжинами набирали и списывали, перебрасывали с корабля на корабль, увольняли на берег… что мне и требовалось: затеряться в толпе.

Ты помнишь Минькино негодование, когда во время царского смотра Невозможный матрос (тайный я) вместо того, чтобы горланить "ура" (в честь подначального мне гарсонского офицера), предпочёл любоваться на солнце — как на собрата, почти как на ровню себе: ведь не только Людовик, но каждый подлинный король — в сущности, король-солнце…

Теперь ты понимаешь, зачем мне потребовался Минька, — и кто он такой? Практически, он — закопчённое стёклышко, чтобы смотреть на меня. Копоть, сажа, которая застилает Миньке глаза, — его обычность. Он твердолобый и косный, как тётя Шура, как тренер в бассейне, как мои бывшие одноклассники…

Я нарочно его застигаю не в унижении, не в глухом Колыванове, не в смраде кожевенного завода, — я застаю Миньку на вершине доступного ему счастья. Он выбился в люди. Он служит на флагманском корабле — причём не матросом, а квартирмейстером, то есть фельдфебелем. Он носит форменную одежду, его окружают невиданные предметы: всё чистое, всё дорогое; он остро чувствует принадлежность к команде, он счастлив занимать в иерархии не последнее место. И я на этом не останавливаюсь, поднимаю его в ещё высшую точку, в зенит верноподданнического восторга, — и здесь он встречает... меня.

Призна́юсь тебе — через Миньку я свожу счёты со всеми, кто меня игнорировал, не принимал играть в банки и в вышибалы, кто делал мне сливки и саечки, щипал меня и пинал, прикасался ко мне; с тренером, санитарами, с коротышкой, который со мной разговаривал, как с хомяком... Когда Минька пытался меня ударить, понятия не имея, что я в совершенстве владею приёмами джиу-джитсу, я мог — буквально! — убить его одним пальцем, но вместо этого я отклонился (отточенным за годы тренировок, неуловимым движением) — сделал это молниеносно, — и глупый Минька расквасил руку о пиллерс.

Он промахнулся — зато случайно попал в самую точку, когда назвал меня Невозможным. Муки Миньки при встрече со мной — это муки правильного, "возможного" мира, когда появляемся исключительные, невозможные мы — ты и я...

Помнишь, один из офицеров-гарсонов (их было четверо на корабле: Любимов, фон Юргенсбург, Заполенко и Рыбкин-третий), — помнишь, как лейтенант вручил Миньке газету, отпечатанную в типографии дона Хуана, чтобы Минька, в свою очередь, передал листок мне? Понимаешь, зачем?

Сразу много резонов. Во-первых, в газете содержались зашифрованные указания: куда явиться наследнику, где и когда произойдёт коронация.

Во-вторых, таким способом Минька проходил скрытый тест на лояльность. О, нам, гарсонам, палец в рот не клади, мы предусмотрительны и хитроумны: на берегу инфанту понадобится провожатый — такой же невидимый, из матросов… может быть, вся конструкция с незакреплённым леером и чудесным спасением была подстроена…

В-третьих, передавая газету Миньке, лейтенант Рыбкин избегал прямого контакта со мной: на борту "Цесаревича" могли действовать вражеские шпионы. Разговор нижних чинов не привлекает внимания, в отличие от общения офицера с матросом.

Но Минька — не только посредник между гарсонами: он также посредник между мной и тобой. Мне неловко рассказывать о себе в должном топе — и в то же время я не хочу искусственно принижать себя. Поэтому мне нужен Минька, который в деталях запомнит день, проведённый рядом со мной, день удивительных приключений, день накануне Мессинского землетрясения.

Минька не выспался. В его повседневной жизни не было места ночным беседам: после отбоя он падал и засыпал, не успев коснуться щекой набитого толчёной пробкой матраса. Наутро он вспоминает вчерашнее как смутный сон; и ещё путанее, чем сон, — сказки про тайные ордена, заговоры, коронации… Ох, как же я ненавижу этот тупой скептицизм, эту житейскую косность, неповоротливость, недоверчивое молчание: вот уж, кажется, всё объяснил, убедил, разжевал — так нет же, они опять возвращаются на своё, как бараны…

Всю свою долгую жизнь Минька будет вспоминать 14 декабря 1908 года, полдень на рейде в виду Сиракуз: дышит флаг за кормой, поднимается и опадает, и вновь разворачивается пятисаженный Андреевский крест… Если смотреть на корабль с берега, издалека — "Цесаревич" словно утыкан иголками: перпендикулярно бортам вытянулись тридцатиметровые балки, так называемые "выстрелы" (или, по-флотскому, "выстрела"), к ним приторочены шлюпки, баркасы, призывно качаются на волнах… Ах, как Миньке хочется в увольнение: его манят сливочно-розовые фасады, дымы, купола, загадочная полоска над набережной…

Увы, увы: Минькину полуроту ставят отдраивать палубу. На правах квартирмейстера Минька жестом сеятеля разбрасывает песок, а матросики (в том числе Невозможный), засучив рукава и штанины, босые, на корточках, трут. Минька смотрит на сказочника с насмешкой: что, уволили тебя на берег? съел? С важностью, которая кажется Миньке потешной, матрос кивает: мол, да, отпустят на берег, не сомневайся. Минька досадливо отворачивается: в увольнение отпускают с утра, а сейчас уже полдень минул... Щелчком отправляет в море недокуренную щепоть. Заставляет себя посмотреть вниз, на воду. После вчерашнего Миньке не по себе, когда он глядит с высоты: чувствует слабость в ногах. Его удивляет, что от корабельного борта — не справа, не слева, а именно от того места, где он стоит, ровнёхонько из-под ног, — стелется светлая полоса. Вода тёмная, тусклая, зимняя — хоть и Сицилия, а всё же декабрь. Ветер прохватывает сквозь бушлат и рубаху, вскапывает, перерывает дорогу, бегущую далеко-далеко по воде. Солнце скрыто, но тучи, кажется, собираются расходиться: у горизонта светлеет пятно, становится шире; в глазах у Миньки рябит, он ощущает солнечное тепло кожей, ему зевотно, дремотно...

Спустя час с небольшим, после законной обеденной чарки, в нагретом кубрике Минька растягивается на своей "рыбине", под веками продолжают роиться солнечные мошки... вдруг его тормошат. Минька вскакивает спросонья, с горящей щекой — на щеке красные полосы, как у тёти Шуры с утра; его подгоняют, торопят; даже не получив, как положено, выходных номеров, не умывшись, не переодевшись в парадную форму, как были в серой холстине, Минька и Невозможный матрос перебегают по скользкому "выстрелу" и, держась за канат, съезжают в паровой катер. Катер отваливает, дым сбивается из высокой трубы и обдаёт пассажиров, так что на лицах у Миньки и у Невозможного — следы сажи; сквозь брызги мелькает испанский "Император Карл Пятый", ближе — французский "Жюстис", парусные фелюги; сицилианцы кричат что-то приветственное, и Минька, проснувшийся наконец, осознавший, что долгожданное увольнение, несмотря ни на что, состоялось, горланит в ответ тарабарщину: "ларлала, турмала!.." Катер стукает о мостки — Минька спрыгивает. Под ногами земля, удивительно неподвижная.

Ровная тёмная полоса, в которую Минька вглядывался с "Цесаревича", — это вправду деревья: обстриженные безжалостно, по линейке — и… невероятные! Вместо того чтобы первым делом, как все, бежать в меняльную лавку, Минька буквально вцепляется в эти деревья, похожие на полуокаменелых чудовищ — открытые рты, выпученные зрачки, уши, бульбы, клубни, наросты, циклопические многорукие локти, обтянутые дублёной слоновьей кожей, подмышки, извилистые хвосты; Минька не представлял, что такое бывает в природе — корни высотой в два, в три фута, и в то же время узкие и острые, будто гребни. Невозможный матрос поясняет, что эти деревья были привезены сюда из Испании и называются "фикусы Вениамина".

Всегда впечатывается первое, что увидел на новом месте. Я, например, могу почти по минутам восстановить первый день в отделении, и заколку твою храню… А что происходило через неделю, через два месяца? Всё слиплось в памяти.

Земля так неподвижна, что Миньку шатает. Он стремится припасть к чему-то надёжному, крепкому, чтобы прийти в себя. Я его понимаю.

Фикусы Вениамина немилосердно обкромсаны и обчекрыжены, вокруг сучьев торчат трубки отставшей коры. Чудовища растопырили локти, свесили к земле красные ссохшиеся мочалки. Невозможный матрос поясняет, что это воздушные корни: они впиваются в почву и дают всходы, превращаются в новые стволы, так что одно-единственное дерево может разрастись в целый лес. Минька дёргает и отрывает несколько жидких пучков. Другие нити, в самом низу, у земли, похожие на тонкие слипшиеся косицы, выше деревенеют и превращаются в связки жилистых прутьев; ещё выше — в сучья, в стволы; Минька хватается за такое переплетение и ловко подтягивается, как на корабельном канате. Мочалка пружинит, выдерживает: Минька сильно отталкивается — и летит, проносится над землёй…

И я раскачиваюсь вместе с ним. Сначала вся эта одиссея с Матросом и Минькой казалась мне ненадёжной: разрозненные волоски смысла, пучки — я думал, что, если дёрнуть как следует, всё оборвётся, — но появлялись подробности и детали, история зрела, в ней начинала тлеть жизнь…

Вот очевидное подтверждение: Дживан меня не поймал. Почему?! Здесь все друг на друга доносят. Всегда. Все всё знают, а что не знают — придумывают. По крайней мере один человек точно был в курсе, что я поджёг подоконник, — и знал, что я знаю про то, что он знает. И не выдал меня! Я был потрясён. Впервые в жизни у меня появился единомышленник, соучастник, доверенное лицо…

Теперь и раздача лекарств вспоминается по-иному: я стоял в очереди за таблетками, меня толкали и задевали чужие люди, дышали в затылок — но я не чувствовал отвращения: среди окружающих были мои тайные верноподданные, мои гарсоны, они прикасались ко мне на счастье. Я представлял себя в церемониальной одежде, с тяжёлой орденской цепью на шее. Я спокойно стоял в общей массе, ожидание не бесило меня. Напротив, меня развлекало это минутное равенство. Нувориши, презренные выскочки и коротышки пусть выпячиваются — а подлинный аристократизм прост. Когда подошла моя очередь, я скромно, как рядовой человек, протянул ладонь за таблеткой. Я знал, что скоро всё совершится.

Минька проносится на древесном канате, разжимает пальцы — и спрыгивает, удерживает равновесие, пробегает, скользит на листьях. Земля густо усыпана свежими листьями, круглыми, жирными и блестящими, — и старыми, свернувшимися в трубки. Солнце уже опускается: тени длинные, яркие. Дует ветер. Барки, теснящиеся вдоль набережной, трутся бортами, снасти стучат под ветром. Ветер доносит уханье барабана и, кажется, крики…

Миновав груды бочек и ящиков, оставив по правую руку громко и сухо шуршащие пальмы, а по левую — розовые резные фасады с множеством флагов, Минька и Невозможный матрос поднимаются по отлогому, вымощенному булыжником склону. Матрос уверенно выбирает дорогу и на ходу рассказывает Миньке про грандов. В тёмном проулке, заросшем плесенью, завешенном мокрым бельём, скользком от гнилых корок, Минька узнаёт — и крепко запоминает, — что гранды подразделяются на три класса. Гранды низшего, третьего, класса в присутствии короля не смеют надевать шляпу без августейшего разрешения. Гранды второго класса снимают шляпу, приветствуя короля, но после этого надевают шляпу обратно. И, наконец, гранды первого класса — могут беседовать с королём, не сняв головного убора. Вот Минька, к примеру, не догадался снять бескозырку — значит, завтра лишится её заодно с головой, — подмигивает Матрос, — либо уж придётся произвести Миньку в первоклассные гранды, и станет он ровней дону Хуану, принцу

Обеих Сицилий, будет обращаться к королю *"ми примо"* — "братец", "кузен"... Дон Хуан де Бурбон и впрямь приходится вдовствующей королеве троюродным братом (наследнику, соответственно, дядей) — и по знатности мог бы и сам притязать на испанский престол... "Если мог, отчего же не притяз... притяж..?" — Минька уже открывает рот, но в это время мы оказываемся на ветреном перекрёстке: здесь чистые и широкие улицы, балкончики на подставках пестрят и рябят разноцветными лентами и полосками, вырезанными из бумаги; чувствуется приближение праздника — вот семья медленно и почтительно ведёт под руки сгорбленную старушку; вот торговки несут узлы и корзины (в одной из корзин тесно курлыкают голуби)... В Минькину память врезается солдат в чёрно-красных рейтузах и в лакированных сапогах, сияющий молодостью и франтовством: он прикуривает, чиркая спичкой об эти свои рейтузы и выставив ногу.

И, кстати, загадка: почему некоторые совершенно случайные и мгновенные встречи так помнятся много лет? Что они значат? Зачем они?..

Туземная пестрота подавляет Миньку, он чувствует свои пустые тяжёлые руки, не знает, куда их девать. Конечно, из гордости не признаётся, но сейчас Миньке больше всего хочется встретить своих, с "Цесаревича" или со "Славы", сбиться гурьбой, пройтись по улице и обратно, преувеличенно по-моряцки раскачиваясь… Невозможный матрос говорит, запыхавшись, что праздник, шествие, дудки и барабаны, всё это — остроумная маскировка будущей коронации, на которую съехались гранды и герцоги, генералы и короли, и даже, по непроверенным слухам, президент Франции Арман Фальер. Чтобы ввести в заблуждение вражескую агентуру, дон Хуан приурочил инаугурацию к собственным именинам — якобы гости собрались не для того, чтобы поклониться испанскому королю и владыке гарсонов, вернувшемуся после двадцати с лишним лет вынужденной изоляции, — а просто для собственного плезира в рождественские деньки пожаловали на праздник святого Джованни, апостола Иоанна, — в честь которого наречён дон Хуан… Кстати, так действительно было заведено на Сицилии: парад с музыкой, ярмаркой, фейерверком, щедрое угощение и молебен в соборе — торжества посвящались небесному покровителю. Но любому было известно, что основной адресат — не на небе, а на земле: в данном случае дон Хуан (по-местному дон Джованни) Бурбон-Сицилийский и Бурбон-Пармский, герцог Калабрии, герцог де Ното и проч…

Ещё громче музыка; из-за церкви с витыми колоннами, снизу из улочки медленно выплывает сверкающее изваяние: раскинувший крылья орёл и стоящая на орлиной спине золотая фигура в три человеческих роста — бородач с крестом, с книгой в руках. Статую тащат на длинных брёвнах-полозьях, подставив плечи под эти полозья-поручни, с каждой стороны по двадцать-тридцать мужчин: "бурлаки", аттестует их про себя Минька, в своё время таскавший баржи по нашей речке Волочке. Круглые плечи — гладкие, белые, смуглые, волосатые — обнажены; на плечах красные вмятины, ссадины; на руках — белые нитяные перчатки; на головах — зелёные колпаки. И на многих в толпе — что-нибудь ярко-зелёное: шапка, юбка, жилетка или зелёный шнурок вместо пояса. Три-четыре десятка женщин бредут по холодным булыжникам босиком. Дальше подростки в белом; монахи в пурпурном и жёлтом; за ними какие-то, видно, старейшины, белоусые, в круглых бархатных шапочках, и целый полк музыкантов в алых мундирах и киверах, с кокардами, аксельбантами, позументами, перьями… Звенит колокольчик: движение стопорится, статуя, словно споткнувшись, качается и застревает на месте; бурлаки вытирают пот, некоторые уступают свои места, их сменяют с готовностью. *"Вававава-тути!* — кричат надорванные голоса. — *Вевама-тути-мути!"* "Что же мы — немые?" — понизив голос, говорит Матрос на ухо Миньке; Минька в жизни не сталкивался с таким явлением, как перевод; он рассеянно удивляется, зачем Невозможный матрос шепчет среди такого шума и галдежа, — толпа самозабвенно ревёт, рычит, верещит: *"Вива! Вива Сан Джованни!"* — *"Вавава-тутти!!"* — *"Вива Сан Джованни!!"* — *"Ке съямо тутти мути?!!"* — *"Эввива Сан Джованни!!!"* И снова гремит оркестр.

В боковых улочках теснота, торговцы с тележками; там и сям гарцуют кавалеристы; народ прибывает... Низкое солнце перерезает площадь: горят белые статуи на соборе, верхние этажи ярко освещены — нижние погрузились в вечернюю тень. "Смотри! — Невозможный стискивает Минькин локоть. — Дон Хуан. Вон стоит, на балконе".

Слева и справа от человечка в тёмном мундире — нарядные дамы и офицеры — но не вплотную: вокруг дона Хуана — пустое пространство. Видно, что он на голову ниже других мужчин. Тысячи обращённых на маленького человека взглядов — как перекрестье прожекторов: жадно направленное внимание почти физически выделяет его, обрамляет. И в этой рамке, в фокусе, в центре всеобщего беззаветного ликования — человечек держится совершенно спокойно, непринуждённо: чуть приподняв подбородок, щурится поверх толпы. Минька сразу же вспоминает, как он впервые увидел своего нынешнего провожатого: кругом все кричали, а тот прищуривался на солнце. Насколько Минька — с его морской зоркостью — разбирает издалека, ему мерещится, что дон Хуан и Матрос внешне похожи...

И впрямь похожи, как родственники. Минька готов поверить Матросу: может быть, тот взаправду какой-нибудь... ну, не принц, но какой-то местный, сицилиянский...

Словно почувствовав Минькин взгляд, человек на балконе поворачивает голову, приподнимает руку — и всё вокруг Миньки взрывается: "*Вощенца! Вощенца! Эввива Джованни!*" В небо летят береты, кепки и котелки.

Минька прекрасно освоился в сицилианской толпе, ему хочется вместе со всеми кричать и подбрасывать бескозырку. Вдруг:

— *Ин бокка аль лупо!* — нагибается кто-то к Матросу, и тут же оттискивается, исчезает в людском потоке. Минька смотрит на провожатого с недоумением: кто это? что он сказал?

— "К волку в пасть", — переводит Матрос. — Здесь так принято желать удачи.

Минька догадывается:

— Он, значит, из ваших гарсо...

Матрос с такой силой дёргает Миньку за руку вниз, так сверкает глазами, что тот осекается: мол, понял, молчок, молчок!..

Они пробираются к краю площади, ближе к собору — здесь чуть посвободнее; вовсю идёт торговля съестным, деревянными статуэтками, свечками, безделушками. Матрос суёт Миньке несколько местных монет и сам проталкивается к одному из лотков.

Минька проголодался: привык есть по часам, а сегодня — никакого режима. Его манят дымящиеся жаровни. В одну из боковых улочек падают лучи низкого солнца, и на прилавке что-то алеет, искрится, разрезанное, по виду сочное… Минька в жизни не пробовал помидор и не знает, что это такое. После недолгого колебания всё-таки выбирает привычную пищу. Наугад отдаёт ларёчнику самую маленькую монетку — тот насыпает кулёк крошечных раскалённых картофелин. Минька, дуя на пальцы, пытается ободрать крепкую обугленную кожуру. На вкус картошка какая-то *невзабыльшная* — рассыпчатая, сухая, и в то же время вроде бы вязкая — однако сладкая, сытная. Минька хвалит её Матросу, который держит под мышкой свою покупку, похожую на завёрнутую в бумагу большую свечу. Матрос смеётся над Минькой: мол, это каштаны, а не картошка, орехи такие, каштаны… Матрос тянет Миньку обратно в толпу, которая вслед за покачивающимся золотым истуканом втекает в собор. Все входящие погружают правую руку в большую чашу с водой и потом делают этой рукой быстрый небрежный взмах (крестятся, догадывается Минька), некоторые ещё зачем-то целуют собственный палец. К удивлению Миньки, его провожатый делает так же.

В необъятном тёмном соборе явственно холоднее, чем на улице. Своды почти невидимы в сумраке. Между колоннами в три обхвата — шершавыми, грубыми, по виду древними — кованые паникадила. На стенах копоть, подпалины и потёки, и золотые надписи, которые напоминают Миньке названия кораблей. Собор уставлен рядами лавок; Миньке с Матросом удаётся примоститься рядом с проходом. Задрав головы, они рассматривают штандарты, подвешенные к потолочным балкам. "Борджа, — шепчет Матрос и показывает на знамя с изображением красного быка. — Де Санчес... Де Вилья... Мильяччо..." Шахматные щиты и башни, лилии, перекрещенные ключи.

Тем временем золотую статую устанавливают на платформу, она медленно поднимается, а затем, чуть покачиваясь, вдвигается в огромную нишу, затянутую пурпурной тканью. Лязгает колокол, звуки мечутся между колоннами. Впереди — словно белые бабочки, крылья: это носильщики, сняв перчатки, машут, как бы прощаясь со статуей. Перекрывая колокол — звонко, пронзительно высоко — детский хор. И в довершение — взрёвывает орган.

После месяцев однообразного флотского распорядка — вчерашнее потрясение, полубессонная ночь, путаные тревожащие рассказы; внезапное пробуждение, катер, необычайные фикусы, беготня по туземным улочкам и переулкам; толпа с её криком и гвалтом, дуденьем, пиликаньем, буханьем барабанов, броским уличным золотом аксельбантов и позументов, и сразу же — полутьма, теряющиеся в высоте колонны, свечи, молитвенное бормотание на чужом языке, детский хор, вой органа, — Минька как будто внутренне оцепенел, онемел, перестал себя помнить. Он едва шевелит губами, когда надорванные голоса в сотый раз кричат *"Вива Джованни!.."* — и напряжённо вглядывается вперёд, где в свечах то сгущаются, то расплываются призраки в тёмно-красных сутанах и возникают ещё какие-то тёмные сановитые, в орденах… "Герцог Мальборо… великий князь Александр Михайлович… герцог Альба… граф ди Казерта… король Мануэл…" — шепчет Матрос при появлении очередного безликого силуэта. И снова и снова лязгают и гремят колокола, с пением идут белые дети с хоругвями и свечами, торжественные фигуры в высоких остроконечных шапках и с посохами в руках, снова ангелы и орган, но сквозь пение — проступает странная, будто потрескивающая тишина, и всеобщее напряжённое ожидание, общая устремлённость вперёд, к мерцающим золотым и багровым полотнищам; к алым цветам, которыми сверху донизу убран алтарь; к свечам, тоже обвитым звёздчатыми цветами, — всё это дрожит в горячем воздухе над огнём, свечи кланяются и потрескивают, помигивают, разделяются и спаиваются, смыкаются в солнечную дорогу, которая начинается от того места, где Минька стоит, — ни слева, ни справа, а ровнёхонько из-под

Минькиных ног, и Минька уже, пошатываясь, кренится, уже готов нащупать эту дорожку ногой, ступить на неё, соскользнуть…

И я готов вместе с ним.

Не жалей меня. И не смей — слышишь, не смей опускаться до гнусного коротышки. Он лжёт. Он пугает нас Колывановым. Что́ Колываново? Вся земля — Колываново.

Нам оно нипочём.

Бесстрашные язычки реют, резвятся, огонь крутится перьевыми кудряшками, пляшет. Свиваются подсвеченные оранжевым струйки дыма. Внутри подушки видны сказочные пещеры, мосты над каньонами, перевалы, ущелья, вычурные, диковинные фигуры. Огонь шуршит — гораздо мягче, чем когда горит дерево; нашёптывает: события развиваются, переплетаются, разделяются и сливаются, противоречат друг другу, а то принимаются трепетать в унисон, — и я вижу, что, в сущности, это пламя бесплотно.

То есть, конечно же, язычки состоят из углерода и кислорода, из раскалённых мельчайших частиц золы — как, скажем, хвостики и завитки напечатанных букв ("б", "у", "к") — из краски (из масел, пигментов), пиксели на экране тоже ведь материальны: я что-то такое читал про "быстрые электроны", "люминофоры" и "жидкокристаллические вещества", — но разве нам это важно?

Важна история, она крепнет и расправляется, словно мантия, вьётся, летит. Я направляю её своей волей. Я горд. Мои ногти поблёскивают пластинками, в них отражается пламя. Я демиург. Я своими руками творю эту историю для тебя. Поверь, дальше нас ждёт настолько волшебное, невозможное, чистое…

Главное в сказке — свобода и чистота. И огонь.

6

Дживан почувствовал, что больше не в состоянии видеть инфанта: нужно вышвырнуть щенка вон из Тамариного кабинета, иначе ещё минута — и он, Дживан, не поручится за себя.

— Вопросы-жалобы? — Дживан со всей ясностью дал понять, что беседа окончена. Любой культурный человек — вот, к примеру, он сам — сразу встал бы, поблагодарил и откланялся. Но паршивца поздно было воспитывать:

— Вопрос имею.

— Та-ак. — Дживан развернулся всем корпусом. — Мы вас внимательно слушаем.

Приходилось признать, что мордочка щенку досталась смазливая: нос с горбинкой, специфический разрез глаз — тяжёлые веки и очень густые ресницы. Всё время казалось, будто паршивец, чуть-чуть прищурившись, улыбается, усмехается, — хотя сейчас, например, улыбаться не было никакого резона.

— Очень душно. В палатах вообще дышать нечем. Здесь-то у вас нормально, прохладно, — инфант обвёл взглядом кабинет, — а в отделении вообще край, ходим мокрые…

— Предложения?

— Ну… проветрить. Проветривать.

— Как, ты говоришь, назывался курорт? Терамина?

— Таормина.

— Так, так. Понимаю. Ты, значит, привык, чтобы было удобно, комфортно, коктейли там, понимаю тебя. Такой красивый, здоровый… Да-да, здоровый, здоровый, ты нас за дураков не держи, ты здоров как слон! А все остальные, кроме тебя, — больные! И большинство — пожилые больные. Сниженный иммунитет, понимаешь такое? Простудятся от малейшего сквозняка. Так что я тебя огорчу сейчас. Мы о них позаботимся, а ты перетерпишь…

— Пожилым больным воздух не нужен?

— …потерпишь! И ещё я тебе что скажу, — продолжил Дживан, свирепея, — мой золотой. Ты знаешь, как твои шалости называются? Поинтересуйся. Умышленное повреждение имущества общеопасным способом, заруби на сопливом носу:

обще — опасным — способом, статья уголовного кодекса, пять лет! Это если ни с кого волосок не упал. А если упал — покушение на убийство! Тоже: общеопасным способом, терроризм, пожизненное заключение! Это тебе не…

— Я не…

— Всё понимаешь прекрасно. Вместо курортов твоих, Тарамины, заедешь на зону, понял? В Коми АССР!

Дживану почудилось, что Тамара сделалась полупрозрачной и перестала дышать.

— Ещё один инцидент — я не директор здесь, не заведующий, я никто, мне терять нечего, я никого не боюсь… знаешь имя моё? Можешь запомнить: я Лусинян Дживан Грантович! И на носу себе заруби: я сам лично подам заявление на тебя — и подам не в Подволоцк, а в центральную прокуратуру!

— А-а-а, так вы… про, ну… — паршивец запнулся, и Дживан, к своему удовлетворению, отметил, что позолота с инфанта малость осыпалась, — …вы про поджоги? ну, эти…

— Вы знаете про поджоги? — Тамара возникла из небытия.

— Всё отделение знает…

— И все в отделении говорят о тебе, — гнул Дживан. — А если думаешь, что с диагнозом взятки гладки, — ты зря надеешься. Признают вменяемым — значит, будет статья. А невменяемый — ты у нас невменяемый? — отправят на принудлечение.

Принудлечение хорошо себе представляешь? На курорт не похоже, я тебе обещаю! Что глазками хлопаешь?

— Ара... — развёл руками инфант.

— Что-о?!

— А разрешается с пациентами... разве... ну, таким тоном?..

— Каким ещё "тоном"? Я голос повысил на тебя? А, Тамара Михайловна? Употребил нецензурную брань? Вот закроешься на пять лет — там узнаешь, какой тон бывает. На пять-восемь лет, понял? Минимум! Иди прыгай отсюда!

Инфант поднялся — отворил дверь, шагнул через порог, задержался — и, ни к кому отдельно не обращаясь, со своей обманчивой полуулыбочкой проговорил:

— Сейчас там самый сезон. Не жарко. Вода двадцать шесть... Та-ор-мина — не путайте. Та-ор-ми-на. — И вышел.

— Он, — убеждённо кивнул Дживан. — Без сомнений.

— Дживанчик дорогой, что случилось? Ты что так набросился, он же мальчик...

— Этот мальчик угробит нам тридцать шесть человек. И нас заодно, если...

— Ты почему так уверен?

— Вы помните, что он машину спалил? Он, лично?

— Машина — одно, а здесь люди...

— Он не понимает, что это такое, люди. Он принц, вы не видите? Небожитель. Ему не нужен никто. Европу хочешь? Пожалуйста тебе Европа. Захотел — получил. Всё можно. Вы сами сказали — "поиздеваться". Вот, он издевается! Ах, ему душно…

Дживан добавил Тамару — она задумалась:

— Ну, допустим… И что мы с ним можем сделать?

— Выписать! — (Тамара опять помрачнела.) — Или подождём, пока спалит отделение? Он два раза предупредил. Дождался, пока все заснули. Пролез. Здоровый, молодой, ловкий. Один раз обозначил, два — не хотите понять? Будете разгребать головёшки…

— Всё, ладно, хватит!

Тамара листала толстую папку с историей болезни.

— "Поступил в связи с изменившимся психическим состоянием…" Тогда что напишем ему? "Состояние улучшилось"?

— "Динамика психосоматического состояния выраженно положительная", — отчеканил Дживан. — "Достигнута устойчивая ремиссия".

— Вот умеешь же ты формулировать. Так, "Динамика…"

— Мало ли, "изменившееся состояние"… — Тамара писала в карте, Дживан морально поддерживал: сам он терпеть не мог заполнять документы, Тамара пыталась перебороть эту его странность, потом сдалась. — Как понимать "состояние"? Алкогольное отравление — "состояние"? Состояние. Поставили на ноги, через недельку домой…

Тамара вдруг перестала писать.

— Подожди-ка… недельку?

— Ну да. Завтра же выпишем.

Тамара сияла, Дживан не понимал отчего.

— Дживан Грантович, посмотри сюда внимательно. Видишь? "Шамилов А.М. — поступил…" Дату видишь?

— Первое. Ну хорошо, не неделя, восемь дней…

— Дживан, не тупи! Когда у нас был поджог в надзорной палате? Первый поджог? Он был в пятницу. Я дежурила по больнице. С пятницы на субботу. Пятница была двадцать девятое, суббота — тридцатое. А здесь — первое октября. Шамилова здесь ещё не было, понимаешь? Физически.

Дживан тупо смотрел на Тамарин ноготь, выкрашенный тёмно-красным. Ноготь постукивал по шершавой бумаге с цифрами "01.10". *Бардакхана…*

— Ну… Тамара Михайловна…

— А что "ну"? Надо дальше искать.

У себя в процедурной Дживан наконец мог побыть в тишине, в одиночестве.

Разложил на столе упаковки таблеток, журнал и пластиковый контейнер с пятьюдесятью ячейками. На крышке каждой полупрозрачной коробочки был прилеплен отрезок белого резинового скотча с фамилией пациента.

"Аксентьев". Галоперидол пять миллиграммов, циклодол четыре, азалептин пятьдесят. Одна большая таблетка с риской посередине, четыре маленькие: две белые, две светло-лимонные.

"Алжибеев". Пропазин пятьдесят, десяточка сонапакса… Две красивые голубые (что-то старческое ощущалось в самом цвете этих таблеток), блестящая рыжая…

"Бобов". Тералиджен пять миллиграммов, плоская ядовито-розовая…

…"Евстюхин". Карбамазепин; труксал — шоколадный, приятный на вид…

Зарябило в глазах, Дживан опёрся о стол. Прав паршивец: в котельной перестарались.

Как же так получалось, что мальчишка не виноват? Интуитивно, психологически — всё сходилось. Вот только пятно на подоконнике появилось тридцатого сентября — а Шамилов первого октября. Тридцатое раньше первого, октябрь позже сентября. Не перешибёшь…

Было трудно вдохнуть — как после того падения на ледяной дорожке, когда надломил два ребра. Только сейчас мешало что-то глубже, чем рёбра, где-то в области сердца или диафрагмы. Дживан не мог понять, что это.

Он делал самое благородное в мире дело: спасал жизни убогих беспомощных мизераблей. Как бастион среди волн — о него разбивались волны безумия, он единственный должен был каменно, твёрдо, двумя ногами стоять... Перехватить пиромана, вырвать у него из руки горящую спичку и растоптать, затушить!.. Здесь не было и не могло быть места второму мнению. Спасая людей, он, Дживан, был безусловно прав.

Он же был прав?!.

Почему-то Дживану вспомнилась девушка, которая навещала инфанта. С яркими глазками, улыбчивая, смешная. Он, Дживан, в свои сорок лет знал бы такой девушке цену — а что мог понимать восемнадцатилетний сопляк? За что ему такая, да ещё старше его лет на семь? Материнский инстинкт? Или просто папины деньги? Эта его — "Та-ор-ми-на"... Надо же, имел наглость вдалбливать по слогам — и вдолбил... Где это, Таормина?..

...“Суслов”. Длинная, как сам Костя, капсула с продольной риской, с буквами “AMI 400” — солиан.

“Теплов”. Шайбочка феназепама, два шарика глинистого цвета — старый добрый аминазин. Слабый железистый запах — так пахнут именно нейролептики. По инструкции эти лекарства надо раскладывать в маске. Дышать ими как можно меньше. Проветривать. Но кроме аминазина и гораздо хуже него — ты понемногу, на каждом дежурстве волей-неволей вдыхаешь саму болезнь.

Медицина вообще, как известно, пагубна для здоровья. А хуже всех специальностей — психиатрия. Дживан помнил цифры, при случае бравировал: астма на 60 % чаще, чем у других врачей, аллергия — на 80 %. Это из-за того, что контакт с нейролептиками.

В два с половиной раза чаще алкоголизм. В пять раз чаще психические болезни. Потому что всё время среди мизераблей, видим их, слушаем, дышим одним воздухом с ними. Психиатрия вредна. А если ещё глубже копнуть, то внутри психиатрии — какая именно из медицинских профессий самая разрушительная и опасная?

Врач — сидит у себя в кабинете. Санитары занимаются физическим трудом: одеть, обмыть, покормить, и дежурят день через три… А вот "средний медперсонал" — медбратья, медсёстры — круглые сутки проводят с больными. Дживан в прошлом месяце взял тринадцать дежурств. И незаметно ты приближаешься к мизераблям, от них будто тянутся липкие щупальца, волоконца… Не фантазия, а статистика. Продолжительность жизни меньше на десять лет! В два раза чаще самоубийства. Пожалуйста, "Учебно-методическое пособие по психиатрии", Рослова, Трайбер.

Выход один: не дышать. Мысленно надеть на себя шлем, скафандр, герметичную маску. Не сопереживать. Категорически не примерять на себя их мысли, как Тамара изображала: "протест", "гнев"… Не надо ничего этого.

Говорят, что простое решение — самое лучшее? Правильно говорят. Прежде всего собрать спички и зажигалки. Потом с Денисом Евстюхиным, с Ивановым, кто там ещё из сохранных? с Филаткиным — перетряхнуть все матрасы, все тумбочки: бывало, что изобретательные мизерабли заталкивали под линолеум, прятали под обоями… Но первым делом — сейчас, во время раздачи лекарств — объявить и изъять. Не дать опомниться. Ясно и чётко предупредить: у кого будет спрятана зажигалка, или коробок, или чиркалёк — отправится в Колываново. "Колываново" до них почему-то сразу доходит: даже самые невменяемые, Зверков, Алжибеев, Полковник — все "Колываново" понимают прекрасно…

В прежние годы очередь за лекарствами была одноцветной — застиранно-чахло-сиреневой. Пижамы двадцать первого века пестрели геометрическими рисунками: ярко-розовыми, ядовито-зелёными… Следовало отдать должное сестре-хозяйке: супрематизм оказался практичным, грязные пятна на рукавах, на штанинах были почти незаметны.

ГЛАВА 6

Дживан занял позицию в торце стола. Очередному больному давал стаканчик с водой; брал соответствующую коробочку, пересыпал таблетки в пластмассовую мензурку, вручал. Тёте Шуре была доверена конфискация зажигалок.

— Меня выпишут! — ёжась и пожимаясь, сообщил Мамка, но зажигалку всё-таки протянул. — Завтра выпишут.

— Значит, завтра получишь назад, — отрезала тётя Шура.

— Сегодня! — Мамка повысил ставки. — Сегодня выпишут, мама меня заберёт…

Пресловутая мама, крашеная пятидесятилетняя блондинка, при первой возможности норовила сдать сына в дурдом, чтобы не мешал личной жизни.

Тётя Шура охлопала Гасю, ей было трудно его обхватить:

— Карманы выверни… Штаны выверни, говорю! Повернись!..

За столом, на санитарском месте, восседал Денис. Ножницами со скруглёнными остриями он идеально ровно выстриг прямоугольный кусок лейкопластыря; тщательно соблюдая симметрию, приклеил на Мамкину зажигалку; разборчиво, аккуратным почерком надписал. Денис лоснился от гордости.

И он тоже мог быть поджигателем. Во-первых, пронырливый — и главное, если вспомнить Тамарины слова про "гнев", — вот уж кому гнева не занимать: целые залежи, резервуары гнева, недра, пласты…

— Спички подписывать? — льстиво спросил Денис тётю Шуру.

Санитарка не глядя ткнула в журнал:

— Здесь фамилии отмечай… Что голоса твои говорят, Слава? Ругаются? — Тётя Шура Дениса терпеть не могла, а Славику почему-то благоволила.

— Тёть-Шура, наручники пристегните мне.

— Какие наручники, Слав, ты чего?

— Я окно разобью. Пристегните наручники, — Славик оглядывался, огрызался на кого-то невидимого, его лицо было красным и потным.

— Дживан Грандовича попроси…

Паршивец прав: в отделении духота, причём какая-то нехорошая духота. Так бывало: без всякой внешней причины в воздухе что-то сгущалось, и как лошади перед бурей нервничают, переминаются, ржут, натягивают постромки — так же и мизерабли: кто принимался кричать, кто буянить… Перед Дживаном одно за другим проплывали серые лица, сырые как тесто, неясные, смутно тревожные, как меняющиеся, клубящиеся облака: он, двадцатилетний, накручивал повороты по горному серпантину, в ступице что-то гудело, Дживан будто собственной кожей осязал каждый камешек, стукавший в днище, окно было открыто, он по-хозяйски выставил локоть наружу (машина была, конечно, чужая), небрежно рулил одной правой рукой, щурясь от ветерка; подмечал орла, скользившего над Карабахским хребтом; тени от близких облаков быстро ползли снизу вверх, словно тёмные реки текли наперекор притяжению... На повороте Дживан выжал сцепление, затормозил, его качнуло вперёд, он почувствовал, что проваливается...

— Дживан Грандович, рано спать! Потерпи.

Открытый рот. Рука со вздутыми венами картинно забрасывает в рот горсть таблеток. Виля.

— Не запиваешь, Виль? — подначила его санитарка. — Только портвейн пьёшь?

— Нет, водочку... — Виля мечтательно улыбнулся своими габсбургскими губами. — Я вам сейчас поклонюсь...

— Иди! — махнула на него тётя Шура, как будто Виля мог видеть взмах... впрочем, наверное, мог догадаться по движению воздуха?..

— Я выражаю своё уважение к даме...

Инфант неторопливо запил свои витамины и по-баскетбольному, по красивой дуге закинул стаканчик точно в стоявшую в раковине кастрюлю.

У Полковника так дрожала рука, что, когда он поднял пластмассовую мензурку, таблетки в ней застучали, как в погремушке.

— Раздолби ему, — бросила тётя Шура Денису, в то же время охлопывая Кардинала. — Эт-то чтт-т-такое ещё?! — вытащила из кармана у Кости спичечный коробок. — Конфисканция!

— Буду жаловаться в ПэВэЗэЩА! — провозгласил Кардинал.

— Жалуйся, кто тебе не даёт. В Колываново хочешь? Жалуйся! Сказал тебе Дживан Грандович, у кого спички найдут... Жаловаться он собрался...

— Смотри! Смотрите! Плюётся! — Денис привстал, тыча пальцем в Полковника.

— Ах ты гад! — тётя Шура схватила Полковника за рукав. — Ты гляди, весь язык в порошке! А ну воду бери!

Полковник стал щупать пластиковые мензурки.

— Они все одинаковые, пей давай! — Тётя Шура сама влила Полковнику воду в рот.

— Зуб задела... — Полковник закашлялся.

— Рот закрывай кашляешь на меня!.. Куда полез?!.. — гаркнула она на внезапно вернувшегося Славика.

— Пристегните наручники...

— Барбаросса, есть ли у тебя план?

— Гав-гав-гав, дай морковного чаю!..

Всему приходит конец. Вот и контейнер с лекарствами опустел, разбрелись мизерабли, собранные зажигалки и спички заперты в ящик.

Закрыв тетрадь с описью конфиската, Денис приподнялся... и вдруг что-то отчётливо брякнуло.

— Денис, что у тебя?

— Ничего.

— Денис, что у тебя в нагрудном кармане?

— Это моё, Дживан Грандович, — Денис преданно, ласково улыбнулся.

— Покажи. ...Покажи!

Денис неохотно вытащил из кармана спичечный коробок.

— Это мой собственный, — повторил Денис с интонацией оскорблённой невинности. — Мне разрешили.

— Кто тебе разрешил? Так, пойдём-ка.

Дорогу им преградил Костя и, топыря пальцы, ткнул воздух, как бы уязвляя врага:

— Умри, Денис! — возвестил он и громко закаркал, заквакал...

Денис не выглядел ни напуганным, ни смущённым: наоборот, в Тамарином кабинете настал его звёздный час. Медицинских работников было двое, в том числе заведующая отделением, — а он один. Похоже, Денис ощущал, что даёт врачам аудиенцию, — внушительно хмурился, солидно кивал немытой, неровно остриженной головой, когда Тамара в третий раз повторяла вопрос: почему, зная, что все должны сдавать спички, Денис оставил у себя коробок? Снисходительно улыбаясь (вместо передних зубов у Дениса были пеньки: дома, когда случался припадок, челюсти разжимали чем попало, ложкой, ножом), — милостиво улыбаясь и время от времени совершая беглую манипуляцию с воротником, будто бы поправляя невидимую фрачную бабочку или галстучную булавку, Денис повторял свои — казавшиеся ему несокрушимыми — тезисы.

Человечество подразделялось на категории, вроде каст. Высшую категорию составляли полезные члены общества: присутствовавшие врачи. ("Если у вас отдельный кабинет площадью двадцать два метра — это не просто так, правильно? Вы это заслужили своей *компетенцией*...") Немедленно за врачами следовали образцовые пациенты, начиная с Дениса. Он самоотверженно, днём и ночью трудился, по первому требованию, безотказно: грузил аптеку, наклеивал пластырь, записывал поимённо в тетрадку, — с лихвой отрабатывая двести двадцать рублей (неизвестно, откуда он взял эту сумму), — двести двадцать рублей, которые государство тратило на питание, топливо для котельной и койко-дни.

— Вы согласны? — и сразу же, не давая ответить, повышал голос: — Согласны! Я думаю, вы согласны. Я тоже думаю, как сделать лучше. Всё время думаю. Я всё делаю лучше всех. Я веду себя вежливо, скромно веду. Наверное, я не встану с тапком посреди коридора? И вы не встанете. И я не встану. А этот дрыщ, извините меня, позорит звание человека. Он издевается и над вами, и над людьми, которые выше буквально во всех отношениях. Мешая выздоровлению, засоряет мозги. Отрицательно действует. "Пожар, пожар, горит огонь". Спросите кого хотите, ну, из нормальных людей. Меня спросите. Отправьте его в Колываново.

— Денис, поговорим о тебе. Ты не сдал свои спички на пост…

— Я никому не даю свои спички! Я пользуюсь только сам. Только после работы. Что же мне теперь, после работы не покурить? Я на работе так не работал, как здесь работаю. Я вам помогаю…

— Денис, ты действительно помогаешь…

— Ну вот, вы согласны со мной: я полезнейший человек здесь!..

— Мы видим с Дживаном Грантовичем, что ты помогаешь, — но и ты нас должен понять. Если мы позволим тебе иметь спички — как мы объясним остальным…

— А давайте я вам скажу, кто поджёг! Выпишете меня отсюда? Завтра? Выпишете меня? Я сейчас докажу. Стихи — раз. "Огонь, пожар" и так далее. Второе: я не спал ночью, я могу узнавать по шагам, это два! И третье, я вам предлагаю научный эксперимент. Уберите его в Колываново — и посмотрите, будет кто-нибудь поджигать? Ничего больше не будет. Я вам гарантирую! Сто процентов!

Услышав "я вам гарантирую", Дживан и Тамара неосторожно переглянулись. Денис это заметил, но расценил как одобрение:

— Да? Согласны со мной? Вы согласны! Вы понимаете, как тяжело нормальному человеку —

и слушать всё время такую… Встанет и распускает язык, извиняюсь, вонючий: ла-ла-ла, ла-ла-ла, это же хочется, извините, блевать! И уродская эта ухмылка ублюдская. Тратить на него двести двадцать рублей? Он же только хает нормальных людей, которые лучше его в тысячу раз! Грязный дрыщ, извините, урод…

Дживан снова почувствовал, что уплывает. Прислонился бедром к торцу Тамариного стола.

Похоже было, Денис проговорился… да, пожалуй, его интеллекта хватило бы на провокацию: поджечь самому, а виноватым выставить Кардинала. Нетерпение подвело: поспешил, слишком грубо стал обвинять…

Опираясь о стол, Дживан примял угол лежавшей с краю бумаги. Он машинально разгладил листок, озаглавленный "4-е отд. Перевод".

Почерк старшей сестры, внизу размашистая Тамарина подпись, и наискосок — автограф замглавврача: круглые завитки, похожие на пружинку. В списке восемь фамилий. Первым номером — Селивахин Дмитрий Егорович. Это Полковник. Под вторым номером значился Гася. Под третьим — Славик. Дальше три старика: Зверков (по кличке Дедушка-голубчик), Софияник (по кличке Скрипач — по ночам он ужасно скрипел зубами) и Алжибеев (по кличке Периметр; Дживан однажды полюбопытствовал, почему Периметр, — ему ответили: "Потому что равен нулю"). Седьмым шёл

Кардинал, замыкающим — Вильяминов Максим Иванович, Виля.

— Тамара Михайловна, — сквозь зубы процедил Дживан, когда, наконец, Дениса удалось выпроводить. — Можете ли просветить меня в отношении данного документа?

— Слушай, на тебе лица нет, — сказала Тамара по-женски заботливо. — Ты устал.

— Я правильно понимаю, вы с Ирмой Ивановной без меня…

— Хочешь честно? Я вообще испугалась, когда ты с Шамиловым разговаривал. Не за него, за тебя. Ты был красный весь…

— …без меня всё решили? Славик третий, Гася второй — в Колываново?! Это Ирма Ивановна предложила? У неё у самой диабет, где же совесть?..

— Совесть? — Тамара резко сменила тон. — Это вы, Дживан Грантович, с вашим Гасей прыгали тут до двух часов ночи? Вы кололи ему инсулин, на свои деньги купленный, дорогой, датский? А Ирма Ивановна, между про…

— Зачем датский, когда в процедурной росинсулина целая гора…

— А он действует, этот росинсулин? Вы проверяли? Правда?! Когда?

— Две-три недели назад действовал худо-бедно…

— Именно! Худо, и бедно, и три недели. А неделю назад уже ни худо, ни бедно! Ирма Ивановна бессовестная прыгала тут со "скорой", его брать отказались... Да, да, опять! Во-первых, они говорят, мы его не поднимем. "Он сам идти может?" Не может. "В нём килограмм сто семьдесят, вы смеётесь?" А во-вторых, "психбольной, ставьте нам круглосуточный пост". Мы говорим, посмотрите, он безобидный. Они говорят, "по инструкции ставьте пост". Мы говорим, у нас людей не хватает. Они говорят, "а у нас? Пожалуйста, можем сделать укол". Тот же самый росинсулин. Мы говорим, ну спасибо тогда, мы сами. Мы вас обеспокоили чем-нибудь, Дживан Грантович? У вас телефон двое суток не отвечает. Вы заняты были, я понимаю. Я Ирму Ивановну такую бессовестную еле отсюда выгнала в два часа ночи...

— Тамара Михайловна, я категорически возражаю. Гасю нельзя в Колываново. Он даже до гангрены не доживёт. Он гипанёт через неделю, и всё, его просто не выведут...

— Дживан, миленький, я понимаю. Гасю нельзя, кого можно?

— Вот — кто поджигал, того можно. И нужно. Дениса Евстюхина... Гасю — ни в коем случае! Гасю, Славика — я категорически протестую. Тамара Михайловна, я вам за пятнадцать лет давал слово, вы от меня слышали?

— Какое слово?

— Моё честное слово давал я вам? Правильно. Не давал. Я, Дживан Лусинян, лично вам заявляю:

если этих двоих, Гасю и Славика, вы отправите в Колываново, я вам пишу заявление. В ту же минуту.

— Джива-а-анчик! — взмолилась Тамара. — Ну что за детский сад?!.

— В ту же минуту, Тамара Михайловна. Вы меня знаете. А теперь — вы ответственное лицо, вы решайте.

В процедурной, сделав необходимые записи, Дживан открыл сейф с надписью *"Heroica"*, вынул ампулу из упаковки. Надломил стебелёк. Набрал в шприц прозрачную, чуть маслянистую жидкость. Вставил шприц обратно в разорванный блистер. Сделал запись в журнале. Убрал в сейф упаковку, пустую ампулу и журнал. Запер сейф.

Список на перевод в Колываново попался ему как нельзя более вовремя. Только что всё расплывалось, двоилось — и вот снова ясность, сознание правоты. Хотели по-тихому провернуть у него за спиной? Наверное, и перевозку вызвали бы в дежурство Ирмы? Хотели поставить его перед фактом? *Ёх-бир!*

Дживан открыл дверь и позвал пациента — новенького из надзорной палаты, Дживан уже не помнил фамилию, которую только что автоматически записал: Рыбин, Рыбушкин... Глаза у новенького были мутные, сонные, его шатало. Войдя, сразу же, без приглашения сел на кушетку. На круглой стриженной под машинку башке были видны проплешины, шрамы.

— Что с головой у тебя? — спросил Дживан, извлекая из блистера шприц.

— Двенадцать! — с гордостью заявил новенький. — Двенадцать дырок.

— Откуда? — Дживан стравил воздух, причём вместо струйки параболой, как это изображают в кино, из шприца вытекла одна маленькая капля.

— Отец сильно воспитывал, — сказал новенький с уважением.

— Ляг. Штаны приспусти.

Дживан протёр спиртом место укола: новенький вздрогнул от мокрого прикосновения, зато не пошевелился, когда Дживан вогнал иголку и стал медленно нажимать поршень: сибазон полагалось вводить не торопясь. Полежит пару месяцев, походит два раза в день, утром и вечером, — и уже не уколешь, придётся место искать. У Мамки, который, в сущности, не покидал отделение уже несколько лет, ягодицы окаменели: приходилось колоть в бёдра…

— Вот вы как считаете… — заговорил новенький. — Вас как зовут?

— Дживан Грантович.

— Иван?

— Дж-живан. Грантович.

Лежащий со спущенными штанами больной некоторое время молчал — явно не в силах воспроизвести непривычное сочетание звуков. Потом промычал что-то символизировавшее обращение по имени-отчеству:

— Ммн-мммнович, а вот как вы считаете… вот я — важный?

— Важный, — без запинки, профессионально соврал Дживан.

— Почему?

— Потому что все важные. Каждый человек важный, — легко, не думая, отозвался Дживан, наблюдая за поршнем.

Лёжа на животе, новенький приподнял голову, посмотрел на Дживана с насмешкой и с жалостью, как на неумелого лжеца, и опустился обратно:

— Нас вон сколько… И что, все важные?

— Все, все…

Полежав неподвижно две-три секунды, тот обернулся быстрее, как будто ему пришёл в голову неотразимый аргумент, — Дживану пришлось его придержать, чтобы не выскочила иголка.

— Тогда почему жизнь неважная?

— В каком смысле?

— А что, вы считаете, это хорошая жизнь? — Новенький попытался сделать размашистый жест, обвести рукой всё вокруг.

— Тихо, тихо! Лежи… — Издалека, из другого отсека, кажется, позвала санитарка. — Минуту! —

крикнул Дживан в приоткрытую дверь. Довёл до упора поршень и вынул иголку. — Вставай. Сейчас дойдёшь до палаты, ляжешь и сразу заснёшь. Проснёшься — жизнь станет гораздо лучше и веселее.

— Не станет, — с горечью возразил новенький, потирая место укола. — Все важные, а жизнь неважная…

Дживан быстро разобрал шприц, сунул иголку в баночку с дезраствором, цилиндр и поршень бросил в контейнер — и поспешил к тёте Шуре.

Костя Суслов, покачиваясь, стоял на одной ноге посреди коридора и говорил в тапок, как в микрофон:

— Фратрес и сестрес! И на фиг же вы нужны?..

В надзорной палате санитарка "фиксировала" Славика: прикручивала его к койке эластичными бинтами, так называемыми "вязками". Ей помогали двое "сохранных" больных — Денис Евстюхин и Андрей Иванов.

— О темпора, — вещал Костя, — о морес! Меня, меня, монументум — и всякая дрянь… Моя фамилия — Гениально. Торжественно. Человечество, кар. Миллион, миллиард! Генассамблея глобального стратегического… дельтаплана! Кар. Слушайте, имбецилы. Высшая человечества… Глория! Никому, только сам! Я единственный. У вас жёрдочки — у меня пьедестал…

ГЛАВА 6

— Иди штаны высуши, пьедестал, — откликнулась тётя Шура, затягивая багровыми кулачищами бинт и пробуя, чтобы держало, но не было слишком туго. Славик почти не сопротивлялся, только сипел и перекатывал голову туда-сюда по подушке.

— Хомо хомини люпус эст. А страдают кто? Кар-рапузы! Мягенькому: карапузо, Карузо, Каррерас, ты не как все... Мизерере. Мазутом пёрышки мажете, топите... и я первый. Я вас топлю интеллектом. Топим, давим, грызём, щиплем друг друга, ощипываем и кар...

Денис норовил затянуть свой бинт посильнее, тётя Шура его оттолкнула.

— Дживан Грандович! Сделай Славику, чтоб уснул.

— И Суслову тоже сделайте, — прошипел Денис. — Я вас умоляю, сделайте ему укол. Не могу, невозможно же...

— Караганда! Тускарора! Каракарпаки, карелобалкары, народы Карибских стран. На карте одиннадцать с половиной тысяч народов, а сказка одна, феномен? Птички дарят по пёрышку. Кар-равайка. Ныркова утка, гоголь обыкновенный и кар... Кардинал! Очень красивая птица, красные перья. Гоголь дал маховые, соколь дал рулевые. И что происходит? Внимание, дятлы: чудесное преображение! Голубь дурнух, кукушка дурнушка, летучая мышь вообще голая, не говоря черепаха, — стано-

вится король птиц. Король птиц! Почему, идиоты?
Во-первых, это красиво. Все разные: красные, пер-
ламутровые… Шикарно. Изысканно. Уникальный
топаз, изумруд, карнавальный карбункул. Летучая голая мышь превратилась в прекрасное существо. Это внешнее, кар. Копнём глубже. Когито
эрго сум. Эрго сум тускарора, индейский вождь
Соколиный глаз. Острозоркость, решительность,
камнем: личностные черты. Плюс моё перо красное — интеллект. Твоё серое — соколь. Берёт твоё
серое, моё красное — два в одном. Так бывает.
Естественное приращение. Границы личности,
понимаете, дураки? Альтер эго! Все личности. Ах,
какое богатство! Разные, всевозможные перья. Все
перья. Поэтому я король птиц. Теперь третье. Перья — подъёмная сила. Жар-птица. Огромные
крылья. Я взмахиваю и — кар! Вверх, над уровнем
моря. К солнцу! На крыльях любви. Внимание:
кар, кар и… кар!..

Дживан оставил открытыми обе двери — на
лечебную половину и в процедурную. Обрывки
Костиного монолога были слышны, пока Дживан
делал Славику так называемую "болтушку". Не
в первый раз Дживан чувствовал себя барменом.
Бывали коктейли классические — вот, например,
этот — дроперидол с амитриптилином, универ-
сальный рецепт. Иногда составляли более слож-
ные комбинации — и очень часто, увы, методом
тыка. Если одно сочетание не срабатывало или со-

провождалось совсем уж зверской "побочкой" —
тогда подбирали другое, третье... Но в отличие от
каких-нибудь виски-с-колой или джина-с-тоником,
здесь речь шла об очень сильных психоактивных
веществах. И действие этих коктейлей — не в целом, не в среднем, а на конкретную личность —
даже для опытных психиатров нередко оказывалось сюрпризом...

— Мементо море! Икар — в легендах и мифах
дурацкая механическая идея: какой-то воск, рас-
топило... абсурдум! Здесь важен взлёт. Преодо-
ление гравитации смерти. Что смотришь? Не нравится "смерти"? Увы. Кар-кар-кар. Миша, Миша,
он смотрит нехорошо. Пусть он уйдёт. Сбил
меня, дятел... Икар... Птица-тройка, птица-локо-
мотив... птица Рух... Да! естественное стремле-
ние к астрам, над уровнем моря, мементо моря,
полёт. Бегущее по волнам отражение. Караси,
каракатицы, гад морских. Это что, дураки? Это
море житейское. Сик транзит глория моря. А вы
поверили? Ха. Что с вас взять, идиоты. Топите
друг друга, топите, топите... Одурачили вас. Что
раззявил свои... альвеолы? Миша! Он опять смотрит. Вокруг себя посмотри! Кар! Карету! Напалму.
Вполне естественное желание, я считаю, напалму.
Спалить эту дрянь. Ну, что тупо молчите? Не понимаете ни хрена? Миша, они ни хрена не понимают никто... Кар! Кар! Руки прочь! Караул!.. А-а!
Кар! А-а-а!

Вбежав на лечебную половину со шприцем в руке, Дживан увидел, что Костя, топыря паучьи колени и локти, корчится на полу, кругом валяются куски чёрной земли и черепки цветочного горшка — оседлав Костю, его царапает и кусает, буквально вгрызается в него Денис, которого пытаются оттащить другие больные: Мамка, Филаткин — из надзорной палаты навстречу Дживану выскочила тётя Шура, разматывая на бегу "вязки", — чтобы всем навалиться и скручивать этими бинтами Дениса...

7

Снаружи гораздо теплее, чем в церкви. За время службы стемнело, закат погас. Соборная площадь преобразилась: её заполнили длинные лавки, столы, дымящиеся жаровни; над разукрашенными навесами протянулись гирлянды круглых ацетиленовых фонарей.

В полутьме у прилавков толпятся мужчины — усатые, в кепках, фуражках и мятых шляпах, переговариваются, прихлёбывают вино, пересмеиваются вполголоса, дымят короткими трубочками, прикуривают у жаровен. Слышатся струнные переборы, сицилианка выстукивает каблуками. Несут столы. Пахнет дымом, жареным мясом и лошадьми.

Под ступенями церкви и вдоль фасада теснятся конные экипажи. Выделяется одна карета, по виду древняя, с гигантскими, будто мельничными, колёсами, с позолотой, с гербами. Лошадь переступает, другая кивает плюмажем. Возницы в расшитых камзолах держат длинные, в полторы-две сажени, хлысты. Лакеи в ливреях, форейторы в париках.

Здесь же, наглядно изображая встречу столетий, поблёскивают из темноты длинные чёрные автомобили. Водители в котелках и перчатках образовали собственный джентльменский кружок, держатся высокомерно, не смотрят на старомодных возниц.

Миньке хочется задержаться на площади, здесь вкусно пахнет, здесь людно, жаровни окатывают теплом, — но Невозможный матрос торопит: вот-вот закончится церковная служба, нужно добраться до виллы дона Джованни, пока не начался съезд гостей. Вилла за городом, недалеко, вёрст пять или шесть — да только гости-то на колёсах, а мы пешком… Конечно, за принцем могли бы выслать эскорт — но, чтобы избежать риска (всем были слишком памятны выстрелы на Арсенальной улице в Лиссабоне), решено было до последней минуты хранить инкогнито и явиться в самый разгар церемонии…

Вслед за Матросом Минька бежит по разбойничьим переулкам: бугристые стены, между камнями торчат какие-то высохшие охвостья, пучки, висят лохмотья от штукатурки. Шавка лакает из водопойной колоды. В трущобах так тесно, что на бегу Минька царапает локти о камни. Темно, электричества нет: то слева, то справа — тусклые масляные огоньки. Пахнет гнилью. Из-под ног прыскают крысы. За очередным поворотом хриплые яростные голоса кричат прямо над головами, стены почти смыкаются окна в окна, и, высунувшись до пояса, противники вот-вот схватятся врукопашную. Что-то вылилось сверху, Минька и Невозможный матрос едва успели отпрыгнуть...

Минька помнит настенные лампадки перед грубо намалёванным изображением какой-то местной святой, помнит, как в подворотне вдруг открывается жерло: оттуда горячий рыбный дух, стук ножей и посуды, галдёж, тарабарщина... Потеряли дорогу, на очередном повороте уткнулись в тупик; обратно — снова тупик, заметались; кругом всё в чёрных пятнах от плесени, скользко, запахи нечистот... Минька помнит — как будто сквозь сон — толстую женщину и какого-то тощего, испитого, в жилете на грязное тело, с рыбой, которую этот тощий держит в руках... нет, не в руках, а на руках, как ребёнка; помнит, как эта рыба лоснится, а толстая женщина не то смеётся, не то причитает и сильно трясёт колышущимися руками, словно рёбрами обеих ладоней одновременно рубит что-то...

Внезапно раскрывшееся, разверзшееся пустое пространство, чёрное небо и ветер, наконец можно дышать; вдалеке — газовые фонари, впереди море, слышно, как оно расшибается о набережную, летят брызги…

В тот самый момент, когда Минька и Невозможный матрос оказываются на широком низком мосту Умбертино, у них за спиной бьют часы. Справа и слева, по обе стороны от моста громоздится множество лодок, теснятся мачты. Под фонарями играет, юлит вода. За мостом города больше нет. Темнота, пустота, под ногами просёлок — утоптанная земля, пыль.

Минька всей грудью вдыхает свежесть, травяную, ночную, не может надышаться и только задним числом понимает, как смрадно и страшно ему было в трущобах. Совсем не думает о том, куда они держат путь и зачем: целиком положился на своего провожатого — а тот озабоченно рассуждает… знаешь о чём? О том, что в соборе он не увидел Фальера:

— Без Франции нам будет весьма тяжело. Вес-сьма! Можно сказать, всё сначала: опять балансировать… Как ты полагаешь, явится? На мою коронацию явится?

— Кто?

— Фальер, я же тебе толкую, Арман Фальер! Президент Франции — как-никак, солидная политическая величина… Не обманет?

Минька принимается хохотать так, что чуть было не падает — а может, и правда падает: не только ступни, но и ладони помнят на ощупь эту дорогу, мягкую, как просеянная мука. В этой глуши, только что от каких-то диких головорезов, по дороге незнамо куда, ночь, край света, собаки лают — а тут, вишь, забота, фалера-холера!..

Помнишь, ещё совсем недавно я числил Миньку второстепенным, сугубо техническим персонажем, как будто его единственное предназначение — с открытым ртом восхищаться Невозможным матросом, Его Высочеством, собственно — мной... А сейчас я ловлю себя на том, что мне гораздо уютнее с Минькой, чем с принцем. Тот поглощён своей целью, а Минька таращится по сторонам: именно Минькиными глазами я вижу чёрные растрёпанные силуэты пальм на фоне неба, с Минькой слышу в темноте курлыканье горлиц, Минькиной рукой помню прохладную пыль (декабрьской ночью здесь, на Сицилии, температура двенадцать-четырнадцать градусов). Я бы замёрз в рубахе и полотняной куртке, а Минька с Его Высочеством закалённые моряки. Так вот, с Его Высочеством (Моим Высочеством) мне, признаться, неловко — а с Минькой весело.

Раньше я тоже рвался к будущей коронации, исключительно к ней, а все эти жареные каштаны, фикусы с воздушными корнями-мочалками, рыбные подворотни — всё это мне казалось не более чем размалёванным задником, и Минька был для меня — первый попавшийся, безразлично какой...

Но выяснилось, что имеет значение, — а может быть, даже единственное, что имеет значение, — лёгкость, беспечность, товарищество, свобода, азарт — всё то, чего у меня в жизни не было. Я не в упрёк тебе говорю — просто хочу туда, к ним. Время тает, огонь шуршит и жужжит, сквозь чёрное кружево прорываются языки, в пещерах кипят жидкие нити, и я стараюсь успеть: шумит ветер, где-то лают собаки, мы шагаем мимо каменных изгородей, виноградников, тёмных садов, дорога плавно взбирается в гору, Минька взбивает носками сапог рыхлые облачка, темнота сладко пахнет — Его Высочество говорит, "померанцами". Пусть померанцами.

Догоняем селян — из тех, которые не остались в городе на гулянье, а после праздничного шествия возвращаются восвояси. В темноте Миньке кажется, будто едут верхом на медведях, — но от "медведей" запах тёплый и безобидный, домашний: это заросшие шерстью большие мулы. Скрип колёс, бряканье колокольчиков, пастушеская свирелька просыпает одни и те же три ноты.

Вдруг сзади — треск, дребезжание, яркий свет закачался: Минька и Невозможный матрос ныряют в траву и, пригнувшись, следят, как мимо с чинным шуршанием проезжает автомобиль, внутри что-то белеет — краги водителя или воротничок пассажира; замедляясь, автомобиль поворачивает направо — в аллею, обсаженную большими деревьями.

Вдоль обочины, мокрые от росы, припадаем к траве, залегаем, когда проезжают новые автомобили и вслед — конные экипажи. Аллея неравномерно уставлена факелами: одни горят ровно, другие мечутся, сильно чадят и трещат, за деревьями носятся тени. Нам, Миньке и Невозможному, это на руку: с освещённой дороги, из-за стволов, в этой качке и тряске нас не разглядеть.

В конце аллеи распахнуты кованые ворота: упряжки и автомобили, хрустя гравием, медленной вереницей тянутся к богато иллюминированному дворцу. На предыдущей стоянке, в Бизерте, мы видели похожие мавританские цитадели с узкими арочными окошками и зубцами на стенах. Под воротами отираются мрачные личности в кепках-*копполах*, с ружьями на ремнях. Невозможный матрос шёпотом объясняет, что это сподвижники дона Джованни, самоотверженные *маффиози*, пожертвовавшие и семьёй, и заработком, чтобы защищать *коза ностра*, правое гарсонское дело: мимо *маффии* мышь не проскочит...

Мыша, может, и не проскочит (думает Минька) — а два человека в матросских куртках — ползком-ползком — незамеченными пробираются вдоль белёной стены, которая окружает виллу дона Джованни. Стена закругляется, вскоре из виду теряются въездные ворота — зато и нас оттуда не углядеть. Охраны нет. Похоже, вместо того, чтобы скучать в темноте, поджидая мексонских шпионов, все *маффиози* глазеют на съезд гостей…

Удача! Над головой — знакомые Миньке мочалки: за оградой растут фикусы Вениамина, вывешивают наружу ветви. Как заправский моряк Минька отлично умеет карабкаться по канатам. Поплевав на руки, подтянулся — рывок, другой — и сидит верхом на стене. Вслед за ним Невозможный… — и уже оба внутри колоссального дерева. Под ладонями прохладная, как шершавый камень в соборе, складчатая кора. Ветви сплетаются между стволами. Не спускаясь на землю, Минька и Невозможный матрос перебираются с одного дерева на другое, на третье, переползают по толстым удобным ветвям — и наконец устраиваются в развилках напротив дворцовых окон.

На мраморной лестнице выставлен караул, наряженный по-старинному — парики, треуголки, плащи. На плащах вышит сучковатый крест: "Гарсонский крест" — поясняет Его Высочество.

Сквозь огромные окна всё как на ладони: Минька заворожённо следит за гостями во фраках, в мундирах со звёздами, гости степенно поднимаются по мраморной лестнице, раскланиваются, снимают и надевают цилиндры, кивера с перьями, расшитые золотым позументом фуражки; некоторые из гостей останавливаются, образуют кружки; другие медленно движутся дальше, через комнаты, расписанные колоннами и пейзажами, к зеркальному

залу с лепными вызолоченными потолками и сот-
нями, тысячами свечей и умноженными отражени-
ями в сверкающих зеркалах, — когда Минька смотрит на это, он незаметно для себя и окончательно
убеждается в том, что всё, рассказанное вчера ночью, — правда. Отныне и навсегда "Невозможный
матрос" превращается в "Его Высочество".

Его Высочество чем-то шуршит. Обернувшись
(Минька оседлал ветку фикуса, Его Высочество
угнездился в соседней развилине), Минька видит,
что его провожатый, вытащив из-за пазухи давеш-
нюю покупку, снимает обёрточную бумагу, и там
вовсе не свечка, а глянцевитый цилиндр, вроде медный. Его Высочество раздвигает цилиндр
вдвое, втрое, прикладывает ко лбу, зажмурива-
ется: это зрительная труба! Минька знает, что это
такое, — но сам в руках никогда не держал. Его
Высочество передаёт трубу Миньке. Тот поначалу
не может справиться: то чернота, то какие-то пятна… Взмахивает свободной рукой, чуть было не
потеряв равновесие. Я регулирую фокус, и вдруг
Минька словно ныряет в крошечный, меньше
ногтя, глазок — и выныривает среди гостей: вокруг напомаженные проборы, нафабренные усы,
крахмальные белые груди фрачников, ленты с ал-
мазными звёздами…

— Юноша… видишь юношу? Вошёл, справа —
с пурпурной лентой?

— Вертит усики?

— Да. Видишь цепь у него на груди? Золотое руно. Орден Золотого руна. Этот мальчик — король. Мексоны оставили его сиротой... В карете ехали вчетвером — король Карлуш Первый, королева Амелия Орлеанская и двое принцев — старший Луиш Филипе и младший Мануэл. Убийца вскочил на подножку кареты и стал стрелять. У королевы в руках был букет, и, по свидетельству очевидцев, она хлестала убийцу букетом, крича *"Инфамес, инфамес!"*...

— Фа?..

— *Инфамес*, "позор". Спасла младшего сына, теперь он король Португалии...

— А жирняк кто?

— С глазами навыкате? Это твой соотечественник, граф Орлов-Давыдов, церемониймейстер двора, богач... Подожди-ка... — Его Высочество отбирает у Миньки зрительную трубу и восклицает: — Фальер! Фальер здесь! — и так ёрзает, что несколько листьев, стуча, осыпаются на траву. Мы замираем на своих ветках. Нет, никто не услышал: в окнах пиликают скрипки, ряженые в камзолах и бело-красных плащах прохаживаются по аллее... — Посмотри на Фальера! — Его Высочество суёт Миньке трубу.

Минька разочарован: была обещана "политическая величина", так что Минька рассчитывал на какого-нибудь здоровягу, богатыря, а хвалёный Фальер оказывается пожилым толстяком на полторы головы ниже Орлова-Давыдова. На Фальере обычный сюртук — правда, с большой звездой на животе. Пока Минька глядит в окуляр, к Фальеру, кланяясь, подбирается кто-то с плащом наперевес: плащ серебристый, с крестом — такой же, как на караульных солдатах. Фальер морщится, но позволяет набросить плащ себе на плечи. Миньке кажется, что Фальер недоволен, как будто его заставляют участвовать в детской игре.

— Фальеру серебряный, — со значительным выражением кивает Его Высочество. — Золотой плащ полагается лишь одному человеку. Догадываешься, кому именно?..

Минька ведёт трубу справа налево. Парадная лестница, комнаты с расписанными стенами... библиотека... Семь окон зеркального зала, который уже заполнен почти до отказа... дальше ещё четыре окна, за этими окнами точно так же ярко, как и в зеркальном зале, сияют люстры... но совершенно безлюдно. Все стены в гербах. Посередине — два трона: один высокий, другой пониже... Последнее, крайнее слева окно закрыто шторой.

Его Высочество досконально описывает будущую коронацию. Сигналом к началу послужит гимн, который вчера доносился с испанского броненосца: "*Оро эн ту колор*", "Золото — твой цвет". Эту музыку, сообщает Его Высочество, привезли в шестнадцатом веке из Южной Америки. В Европе её называют "Марш гренадеров", хотя правиль-

нее было бы "Марш конкистадоров": в Кахамарке
и Куско эту мелодию высвистывали на тростнико-
вых и костяных флейтах, выбивали на барабанах
из кожи тапира. Под гимн Испании в тронный зал
вступят гранды... Услышав знакомое слово, Минька оживляется — да, он помнит про грандов: первого класса, второго класса, в шляпах, без шляп, —
ему любопытно увидеть этих грандов живьём, он
поворачивает трубу туда и сюда. Его Высочество
охолаживает Миньку: грандов здесь пока нет, они
ожидают в одной из внутренних комнат. Пере-
числяет, словно читает стихи, нараспев: герцог
Вилья-Эрмоса де Арагон; герцог Медина-Сидония,
"вон, посмотри, его герб" — как будто Минька может отличить нужный среди семисот пятидесяти
других: все стены тронного зала пестрят гербами.

— Да вон же он, вон, экий ты... в шахматную
клетку, золотой и багровый, с зелёными змеями...
Герцог Альба — герб тоже шахматный, бело-синий...
А вот, в углу, посмотри, наискосок чёрная полоса:
траур по королю Теобальду Шампанскому, он умер
здесь, на Сицилии...

Минька из вежливости переспрашивает, когда
стряслось это горе; выясняется, что семьсот лет
назад.

— Де Суньига-Бехар! Между прочим, именно
герцогу де Бехару был посвящён "Дон-Кихот"...

Минька понятия не имеет о "Дон-Кихоте", гербы для него — просто пятна, — но его интригует

будущее представление с грандами. Стало быть, выйдут гранды — а дальше?

Гимн заиграет во второй раз, и в тронном зале появится принц... Последнее слева зашторенное окно — это покои вдовствующей королевы-консорта Марии-Кристины. Отсюда, с ветки, не видно, но от порога комнаты Её Величества и до трона — согласно гарсонским обычаям, заимствованным у инков, — расстелена дорожка из позолоченных нитей, так называемая "солнечная дорога". Под страхом смерти никто не вправе ступать на эту дорогу, кроме королевы-консорта — об руку с будущим королём. Принц — один! — войдёт в заветную комнату и под руку выведет королеву. Они вдвоём прошествуют к тронам, наследник вручит королеве-матери *льяуту*, вязаную корону (тут Его Высочество прикладывает ладонь к верхней части груди, накрывает ладонью свой медальон), — королева возложит корону на сыновнюю голову, марш зазвучит в третий раз — и с этой минуты принц, собственно, перестанет быть принцем, а станет законным королём Испании — и владыкой гарсонов...

Минька недоумевает: как же Его Высочество попадёт к королеве, если он на ветвях, а она вовнутрях?

Очень просто: едва лишь марш заиграет вторично, Его Высочество спрыгнет на землю — отсюда до парадного входа рукой подать — дальше главная лестница — все расступятся — и через библиотеку, через зеркальный зал…

Неужели Его Высочество прямо так, в больничной рубахе, то есть, тьфу, в матросской куртёшке войдёт ко всем этим фракам и орденам?

Вздор! О таких мелочах пусть заботится хозяин виллы. У караульных на лестнице наверняка припасён плащ с гарсонским крестом — и не серебряный, как у Фальера, а золотой…

Вдруг поднимается рокот. Оказывается, покуда Минька жмурился в окуляр, под окнами цитадели выстроился оркестр во главе с торжественным капельмейстером. Барабанная дробь. Поднимаются длинные горны — и всё вокруг: кипарисовые аллеи со статуями и вазами, променады и галереи, ротонды и бельведеры, каскады фонтанов, лестницы, гроты, оранжереи, партеры и топиары парка, миндальные рощи, арки и лабиринты — всё наполняется звенящим воем.

Капельмейстер взмахивает своей тростью-тамбурмажором — и грохает марш, тот самый, который доносился с испанского корабля, горделивый, помпезный — и в то же время как будто кукольный: гимн взлетает и бухает вслед за плюмажем на капельмейстерском жезле.

Здесь мы на вершине истории, которую я хотел тебе рассказать. Даже если считать буквально, над уровнем моря: здесь, в развилке большого дерева, — высшая точка всей экспедиции, зенит надежд. Минька, которого я когда-то считал заскорузлым, — всей душой сопереживает Его Высочеству, понимает, в какой тот сейчас лихорадке. Если даже у Миньки, который меньше суток тому назад узнал про эту гарсонско-мексонскую катавасию, но уже успел вместе с принцем проделать путь к будущей коронации — плыл на катере, плутал по трущобам, полз в мокрой траве, карабкался по ветвям, — если даже у Миньки сердце подскакивает и ныряет вместе с перьями тамбурмажора — то что сейчас переживает Его Высочество? Он тысячи раз представлял себе эту минуту — и вот, наконец, всё сбывается… Ему кажется, что сбывается. Вообрази себе эту сцену… и пусть тебе станет стыдно.

Следующая картина, которую Минька видит сквозь окуляр: в глубине тронного зала открыты две двери из трёх — слева и справа; центральная дверь закрыта. Двумя вереницами медленно, церемонно движутся наряженные в багрово-золотой бархат вельможи. Это и есть гранды. Большинство — старики, некоторые совсем дряхлые, на головах у них грандовские короны — багровые шапки, украшенные камнями. Поначалу Минька не может разобрать, что́ гранды держат в руках. Какие-то маленькие невзрачные пёрышки вроде куриных. Минька спрашивает Его Высочество, тот очень ровным голосом (пытается совладать с собой, даже прикрыл глаза) поясняет: гарсоны воспроизводят древнюю церемонию инков — когда наследник восходит на трон, в знак вечной покорности каждый вельможа вручает новому королю перо священной птицы, сокола *курикинкэ*. (Впоследствии перья сжигаются.)

В это время гранды неспешно рассредотачиваются по комнате: видно, что каждому предназначено своё место. Семеро полукольцом обступают высокий трон, четверо занимают позиции вокруг трона поменьше; остальные выстраиваются попарно, вроде фалрепных.

Сквозь окна просматривается соседний зеркальный зал: гости, наряженные в белые и серебряные плащи с крестами, столпились и через открытые двери следят за происходящим — не переступая порог тронной комнаты. Громадный Орлов-Давыдов навалился брюхом на португальского короля — а тот, похоже, не чувствует; открывается средняя дверь — и бодрым шагом, немного вразвалочку входит маленький дон Джованни. На нём нет короны, как на прочих грандах: волосы ярко-чёрные, виски седые. В руке нет пера. Он движется по-иному, чем гранды: те плыли медленно-медленно, будто бы не моргая, — а он небрежно проходит сквозь ряд выстроившихся попарно "фалрепных", те низко склоняют седые, полуседые и лысые головы — только в эту минуту Минька замечает, что и все гранды тоже успели обнажить головы, и теперь у них заняты обе руки: в правой руке — птичье пёрышко, в левой, несколько на отлёте, — бархатная корона. Быстро пройдя сквозь строй грандов, дон Джованни встаёт перед закрытой дверью — и в это мгновение кто-то набрасывает ему на плечи золотой плащ. Дон Джованни открывает дверь в комнату королевы и исчезает внутри.

— Но… — шепчет Его Высочество. — Но…

Внизу капельмейстер взмахивает своей тростью, взмывают перья — и всеми своими трубами, тубами и тромбонами, барабанами и литаврами, флейтами и валторнами, бюгельгорнами, флюгельгорнами и фанфарами гремит гимн.

На пороге заветной комнаты, перед высокой белой филёнчатой дверью стоит дон Джованни, а рядом — приземистая старуха, на ней как будто надет тёмный мешок. Минька совсем иначе представлял себе королеву. Эта какая-то тёмная, широкоплечая, и черты лица кажутся Миньке грубыми, почти крестьянскими… Его Высочество выхватывает у Миньки зрительную трубу и сильно прижимает окуляр к глазу.

— Но, — повторяет Его Высочество. — *Но пуэде сер…*

Между тем дон Джованни небрежно ведёт под руку королеву — та немного не поспевает за ним, сбивается, переставляет ноги с трудом, она приземистая и старая, ей трудно идти — два старика в бархатных одеяниях протягивают старухе руки — она тяжело, всем весом опираясь на них, взбирается на ступеньку своего трона, оказывается чуть выше своего спутника…

— *Но пуэде сер!* — Его Высочество держится за шею, за грудь — зажимает, как рану, то место, где под фланелевкой — медальон: тем же движением, как несколько дней назад, когда защищал медальон от Миньки.

Королева кладёт на голову дона Джованни что-то красное, вроде тряпочки…

— *Но ло пуэдо креэр!..* — кричит Его Высочество во весь голос.

Тебе не стыдно? Да-да, осмелюсь спросить: не жалит ли тебя эта сцена стыдом? Понимаешь теперь мои чувства? Ты изменила мне — с кем? Ради кого? Для кого?! Для "Джованни"?.. Чудовищно.

Ещё секунда — и сердце Его Высочества разорвётся, поэтому из-под дерева, снизу, — слышится окрик.

Под ногами у Миньки — двое в парадной форме. Один держит наизготовку ружьё со штыком. Кивает почти дружелюбно: слезайте-ка, мол, вот вы где. А мы-то вас всюду ищем, а вы вот где спрятались. Минька видит маленький чёрный глазок ружейного дула. В оцепенении подмечает незначащие детали: форма на двух караульных новая, только что сшитая, плащи стоят колом — а ружьишко какое-то завалящее, вроде берданки… Штык короткий, игольчатый. Как бывает в минуту опасности,

Минька быстро, но как-то бесчувственно, отвлечённо, будто всё это происходит не с ним, регистрирует: штык прикреплён кое-как, для блезиру; чёрный глазок поворачивается к Его Высочеству; возвращается к Миньке — слезайте, слезайте, — и при каждом движении штык чуть скашивается.

Его Высочество с Минькой спрыгивают на траву. Караульный на шаг отступает, показывает штыком: мол, туда иди. Что-то насмешливо замечает напарнику. В это мгновение Его Высочество взлетает вверх (йоу! кия! джиу-джитсу!!) и бьёт ногой по цевью. Ружьё оглушительно шандарахает — к ужасу Миньки: сейчас сюда все сбегутся!..

Взрываются облака, разверзается небо, и среди ночи настаёт яркий полдень. Выстреливают, взмётываются фонтаны, раскручиваются огненные колёса с брызжущими лопастями, залп: вспыхивают тюльпаны, переливаются и рябят. Удар: шипя, взмывают волшебные перья, вспархивают тучи райских птиц, взлетают цветочные струи, в расколотом дымном небе трещат листья фикусов и, лопнув, сыплются ломкими блёстками…

В канонаде ружейный выстрел теряется: многие караульные тоже принялись палить вверх. Все четверо — двое в плащах, Минька, Его Высочество — оглушены и ослеплены фейерверком, но, к счастью, Его Высочество первым приходит в себя — и так перетягивает караульного по башке подзорной трубой, что тот падает навзничь, ружьё в одну сторону, а труба, уже без стекла, согнутая пополам, в другую; Минька прыгает на второго солдата, который уже потянулся к ремню, чтобы стащить винтовку с плеча, — но Минька снизу с подвывертом, как учили броцкие, вжаривает ему под печень и в этот раз не промахивается: караульный валится на колени, хватая ртом воздух...

Дальше только обрывки: мы со свистом проносимся сквозь рощу фикусов, раня руки, карабкаемся, соскальзываем со стены — и, не разбирая дороги, кубарем катимся по склону, в темноте наскакиваем на оливковые деревья, кусты, скользим в глине — прочь от пушечных залпов, от предательской коронации...

Нелегко сохранять царственное достоинство, когда катишься по нисходящей. Когда тебя предали. Грубо толкнули в грудь. Когда ползаешь в темноте, собирая разбитую зажигалку. Когда перед носом захлопнули дверь. Нелегко — но тем более необходимо выдержать испытание.

Помнишь, я говорил, что каждый король, не самозванец, а настоящий король — король-солнце. А что это значит? Подумай. Царственность — это пламя; державность — чистый огонь. Вся грязь сгорит вместе с этими жалкими пёрышками, останутся только свобода и чистота: в сказочных гротах дышат и движутся паутины; над каньонами простираются и оседают, разваливаются мосты; дым завинчивается рулонами; струится и расцветает огненная корона — моя история мчится к финалу.

Смешно, что в решающую минуту всегда подворачивается пустяк: вот, буквально, у Минькиного сапога отслоилась и подвернулась подошва, под неё забивается глина, ему то и дело приходится тормозить и, теряя секунды, прыгать на одной ноге, вытряхивая грязь… Минька с Его Высочеством уже далеко внизу, а залпы рвутся и рвутся, всё небо от края до края затянуто пороховым дымом, и с каждым раскатом эти дымные облака подсвечиваются то зелёным, то красным…

На дороге патруль: небритые личности в кепках, с ружьишками. За дорогой — лачуги, тёмные крыши; ещё ниже — море. Мы ждём, не дыша, когда патруль отдалится. Пригнувшись, Его Высочество беззвучно перебегает через дорогу, Минька за ним, задевает шлёндающей подошвой осколок щебёнки, и этот маленький камушек прыгает по дороге — как Миньке кажется, оглушительно грохоча.

Кидаемся в тёмный проулок. В спину шарахает, от камней — от ограды — с цвирканьем отлетают осколки. Перемахиваем забор, во дворе на нас с лаем бросается шавка, Минька отпихивает её ногой, вслед за Е.В. перекувыркивается через стенку в такой же глухой закоулок, неотличимый от предыдущего, — Его Высочество барабанит в калитку. Калитка распахивается, кто-то в рясе — горбатый? — кланяется, впускает нас, задвигает засов.

Не горбатый: у него капюшон на спине — ковыляет, на рясе белеет верёвка — отпирает сарай, внутри пахнет землёй — что-то щёлкает, лязгает, и в руках у нашего провожатого колдовским образом возникает язык огня. Минька впервые в жизни видит керосиновую зажигалку. Она круглая, выпуклая, вроде карманных часов. Грубые морщинистые руки будто бы разрастаются в колеблющемся тёплом свете; лицо тоже старое, в складках. Монах отваливает от пола крышку.

Из погреба пахнет плесенью. Спускаемся по деревянным ступенькам, вдавленным в землю, покрытым осклизлыми лишаями. Впереди тьма. Продвигаемся — первым старик с зажигалкой; обложенный досками и укосинами потолок становится ниже, приходится идти согнувшись. Для Миньки полная неожиданность, что под землёй теплее, чем снаружи. Но это сырое тепло душит, оно неживое, могильное. Земля под ногами становится липкой, из грязи сочится вода, сверху капает; поскользнувшись, Минька хватается за мокрую стену — и тут пламя гаснет. В кромешной тьме Миньке кажется, что он сейчас задохнётся. В ушах стучит кровь. Минька чувствует, что волосы у него мокрые. В тишине оглушительные щелчки — и в огромных руках вспыхивает огонь зажигалки, он выглядит очень ярким! Через минуту-другую дышать становится легче, шорох в ушах почему-то усиливается, исчезают нависшие над головой балки, над нами чёрная прорубь — и там подсвеченные луной облака и множество звёзд!

Мы снова на берегу моря, на покатой скалистой площадке, поросшей ракушками. Минька вытряхивает из сапога глину, счищает о ракушки грязь.

У валуна — лодка-двойка. Монах-проводник с Его Высочеством подтаскивают её к краю площадки и спихивают в воду. Минька с Е.В. забираются внутрь, старик придерживает лодку, вдруг наклоняется… и целует Его Высочеству руку.

Оттолкнувшись, мы в несколько вёсельных взмахов уходим от берега. В отлив грести в море легко. В скалах — чёрные дыры. Кажется, много дней или даже недель миновало с тех пор, как "Цесаревич" шёл вдоль этого берега и сквозь полусон Минька слушал рассказы Его Высочества о подземных ходах…

На берегу загорается фонарь, гаснет. Зажигается — гаснет.

Налегая на вёсла и запрокидываясь, Минька видит, что у него за спиной, в открытом море, тоже дважды мигает фонарь.

В темноте проступает силуэт корабля… или очень длинного катера?.. Его Высочество прекращает грести. Удерживая равновесие, поднимается и берётся за трап: палуба низкая, до неё легко дотянуться рукой. Вода сильно плещет в борт лодки.

— Благодарю тебя… — Его Высочество берёт Миньку за руку, но как-то сверху — опускает свою правую ладонь на тыльную сторону Минькиной руки. — Благодарю.

Лодку сильно качает — и вдруг, повинуясь мгновенному чувству, а может быть, подражая монаху, Минька склоняется и крепко целует тёплую, влажную от морских брызг, солёную руку.

Его Высочество вкладывает в Минькин кулак что-то круглое — закрывает своими руками и чуть-чуть прихлопывает, как будто запечатлевая.

Лодку снова качает, Минька взмахивает руками и выпускает Его Высочество — а тот в три-четыре рывка вскарабкивается по трапу на борт.

Заводят машину, она стучит громко, как пулемёт. Из низкой трубы брызгают искры. Катер медленно поворачивает, всё вокруг застилается сивым дымом.

Оказавшись под ветром от уходящего катера, я больше не вижу ни чёрного неба, ни моря. Меня окружает густой белёсый туман. Я кашляю оттого, что вместо привычного сладковатого угольного угара пахнет жжёными перьями.

8

Дживан едет в троллейбусе.

За окнами непроглядная ночь. Троллейбус пуст, но Дживан не хочет садиться: стоит за кабиной водителя. Водитель невидим за тёмным стеклом. Держась за поручень, Дживан смотрит в жидкую тьму. Изредка мелькает отблеск: отсвечивают провода, проплывают глубоководные рыбы или струятся актинии или какие-то неизвестные организмы, как будто троллейбус движется в недрах моря, под многокилометровой толщей воды. Дживан целиком погружается в созерцание тьмы. Редко-редко угадываются извилистые следы незнакомых холодных существ.

Кроме Дживана, в пустом троллейбусе есть ещё один человек. Это женщина. Она смотрит в окно. Приблизившись, он узнаёт в ней свою жену. Во сне они незнакомы — и в то же время это его жена. Лицо Джулии исхудало и потемнело, но её красота, как когда-то давно, обжигает его. Он опускается перед ней на колени и горячо говорит об ошибках, которые он совершил; об изменах; о бездарно потерянном времени; о том, что теперь всё будет иначе. Дживан уверен, что она не сможет сопротивляться его порыву, его пламенной искренности — и вдруг понимает, что перепутал: вместо Джулии ему кивает Тамара — тоже смуглая, тоже черноволосая, но всё-таки — как он мог обознаться? Не зная, как выйти из этого неудобного коленопреклонённого положения, он автоматически продолжает что-то говорить, придвигаясь к Тамаре поближе, обращает внимание на её сильные, хорошо вылепленные икры... Внезапно женщина вскакивает и в гневе бьёт по стеклу троллейбуса — это снова жена: он назвал её чужим именем. Не успевает Дживан снисходительно усмехнуться: неужели она думает своим тонкокостным аристократическим кулачком повредить глубоководное непробиваемое стекло, — как стекло тотчас проламывается, внутрь троллейбуса обрушивается пучина чёрной воды, и Дживан просыпается от удара.

Ударившись лбом, Дживан вздрагивает, выпрямляется в страхе, не понимая, где он находится и что это такое, винтообразное, в чёрную крапинку, медленно поворачивается, проникает, сжимает правую часть головы...

В следующее мгновение Дживан осознаёт, что винтом закручена липкая лента, а чёрные крапинки — это мухи... Уже давно осень, а ловушку для мух до сих пор не сняли.

Он сидит за столом на санитарском посту. Тётя Шура взбивает подушку. Дживан помнит, как она начинала стелить себе постель на кушетке. Значит, проспал считаные секунды. Как это происходит в сознании, что за секунды снятся такие длинные сны, а проскользнувшее за день всплывает всё сразу, в подробностях и деталях, — но если начать пересказывать, то придётся долго и скучно описывать и объяснять событие за событием...

Скобари. Тёмные, красные. "А чё пиво сосёшь?.." Злость, обида: сильный удар, хруст... Нет, этого не было, это осталось в мечтах. Вместо схватки — плавные пассы тореадора, звонок Тамаре...

Пятно на белой двери.

Очередь за лекарствами. Серые, мутные, неразличимые лица, склеивающиеся в сплошную кашу...

Костя. Стоит на одной ноге. Разглагольствует про Икара. Денис бросается на него и кусает в плечо. Атака гризли. "Сохранные" и санитарка скопом наваливаются на Дениса, заламывают ему руки, вяжут. Денис кусается, ему прижимают голову... Как нельзя более кстати в руках у Дживана шприц с болтушкой для Славика: дроперидол с амитриптилином. Этот шприц он и вкатывает Денису прямо через пижаму. Потом, когда Денис уже зафиксирован вязками, добавляет двадцаточку сибазона. Славику тоже укол. И, за компанию, Косте — чтобы легче пережил стресс… Вскоре все трое спят.

Тамара опять предлагает Дживану зайти выпить рюмочку "Васпуракана". Может быть, и зайдёт. Тяжело на душе… отчего? Что-то было неправильное, ошибка… Измена, подмена… Дождь шумит за окном…

А, вот же! Он должен был найти поджигателя, пиромана. Но не нашёл. И никто не нашёл бы. Задача была изначально невыполнимая. Как найти, если это не люди, а каша, размазня с лузгой, с шелухой, пустые мятые оболочки… Не за что ухватиться, не на что опереться…

Почему-то сейчас почти безразлично: нашёл поджигателя, нет… Отчего так тошно?

Стриженая голова. Маленькие блестящие плешинки, штришки — шрамы. "Почему жизнь неважная?.."

А действительно, почему?

Он так старался держать спину прямо. Почему же девушка с яркими глазками достаётся щенку? И Таормина — щенку… Где это вообще, Таормина? Кругом вата, блёклая плесень: если наступишь, то провалишься по колено, по пояс, и станешь тонуть, как в воде… Дождь шуршит. Откуда-то тянет слабый сквозняк, сонная лента колышется, поворачивается винтом: всё пропало... пропало...

Ф-фух! Дживан решительно поднимается, выпрямляется. Хватит! Всё это — просто физическая усталость. Не поел по-людски, не поспал, только *гаирмахался* двое суток — кто не устал бы? Двадцатилетний устал бы. Дживан бы ещё посмотрел на такого двадцатилетнего. Ничего! Просто надо встряхнуться.

Тётя Шура, кряхтя, выметает землю из-под кушетки, ворчит:

— Фикус разбил... каз-зёл...

В третьей палате Денис спит мёртвым сном. Лежит навзничь, дышит, подхрипывая. В палате жарко. Потолок провисает. Письмена, выцарапанные на спинках коек, напоминают индейские пиктограммы, особенно в полутьме. Кровати стоят едва не вплотную. Мизерабли спят без одеял: в пижамах, в больничном белье.

Стоны, вздохи, шорох дождя за окном, пружины щёлкают, когда один из больных, Аксентьев, резким движением переваливается на бок, свешивается, прикасается к полу и, растопырив пальцы, вымеряет на полу какие-то углы — постепенно сползает с койки, сползает... Дживан подходит к нему: "Ляг на место". Аксентьев бухается назад. Смотрит вверх, в потолок. Разводит руки, как будто обхватывает, обнимает что-то большое, шевелит пальцами, складывает их в куриную лапку...

В коридоре кто-то, подшаркивая, проходит мимо открытой двери в палату. Через минуту из-за стены слышно: льётся вода, наполняет пластиковую бутылку.

В соседней палате Костя спит таким же мёртвым сном, как Денис. Шаркая, входит широкоплечий старик с надменным лицом, Софияник. Ставит рядом с кроватью бутылку и полуложится — или, может быть, полусадится: железная спинка оказывается у него под затылком. Софияник не подкладывает под голову ни подушку, ни руку, ни сложенную пижаму — основанием черепа опирается на голую металлическую дугу. Нормальный человек не выдержал бы пяти минут: Софияник так просиживает целые дни, неподвижно глядя перед собой. Лет двадцать тому назад он задушил жену. Несколько лет провёл в тюремных больницах.

— Когда мама приедет? — доносится из полутьмы.

— Завтра. Спи.

— Спать? Спокойно лежать? — Мамке требуется инструкция.

— Спи спокойно.

Дживан вспоминает, что собственной жене так и не позвонил. Ну, теперь до завтра.

Надо, чтобы Тамара поговорила с котельной. В коридоре немного прохладнее — но тоже душно. У инфанта ко лбу прилипли влажные волосы. Глаза закрыты. Однако Дживану тревожно: со злобой думает, что паршивцу тоже не помешала бы пара кубиков сибазона.

Вслед за злобой опять накатывает тоска. Что с ним творится? Скорей коньяку.

Дживан спешит закончить обход. Заглядывает в надзорку — и сразу видит перед собой Гасю. Тот стоит в странной позе. Одной слоновьей ногой на полу, а другой — коленом левой ноги — упирается в раму кровати. Неимоверно медленно, медленно, как какое-то экзотическое животное (бегемот? хамелеон?..) — начинает переносить вес, склоняясь к постели ниже, ниже… Дживан смотрит на Гасю и думает: вот его абсолютная противоположность. Он, Дживан, — крепко сбитый, компактный, лёгкий, быстрый. Гася — чудовищного размера, при этом бессильный. У Дживана острый язык, отточенные формулировки. У Гаси мутизм (возможно, на почве гидроцефалии): он вообще не в состоянии разговаривать. У Дживана было множество женщин — у Гаси отсутствует половое влечение. Дживан в свои сорок лет наслаждается идеальным здоровьем, живёт полной жизнью — Гася практически расползается, распадается, причём не только психически, а буквально: у него так называемая диабетическая стопа, как с ним ни бьются, уже налицо некроз…

Полковник стонет и бьёт кулаком в стену.

— Хорош долбить! — цыкает Виля.

— У него ноги печёт, — вполголоса объясняет новенький.

— Задолбал уже. Долбит и долбит. Дживан Грандович!

— Тихо. Я подойду.

Протискиваясь мимо Гаси, Дживан придерживается за него. Удивительно: он не испытывает брезгливости, прикасаясь к Гасиной туше, — даже наоборот, чувствует что-то вроде симпатии, как будто Гася ему не чужой. "Не отдам тебя в Колываново". В сущности, Дживан — сейчас единственный человек в мире, который может спасти Гасе жизнь. В любом случае Гасе осталось недолго, но во власти Дживана — дать ему отсрочку. Это сильное ощущение. Дживан выпрямляет спину.

— Дживан Грандович, как там с моим вопросом?

— С каким вопросом?

Виля молчит.

— Максим, послушай, что ты мне голову морочишь на ночь глядя? Спи давай.

— Ну, смотрите сами.

— Что-о?

— Говорю, понял вас.

— Завтра решим.

Виля глухо молчит.

Тем временем Гася наконец завалился всей тушей на свою койку (пружины скрипят под тяжестью) и медленно-медленно начинает втягивать ногу... Ленивец! Вот на кого похож Гася: на раздувшегося ленивца! Дживан улыбается. На обратном пути останавливается у койки Полковника, сворачивает полковничье одеяло в рулон и подпихивает эту скатку Полковнику под колени.

Тётя Шура уже улеглась. Дживан моет руки над раковиной. Тётя Шура ворочается, приминает подушку, зевает. Дживан чувствует её мясной запах. А у Тамары сейчас форточка приоткрыта, прохладно, немного пахнет дождём, пятнадцатилетний коньяк…

— Иди, Дживан Грандович, я послежу, — с раздражением говорит тётя Шура.

Ага, последишь ты… Будешь храпеть до утра, не добудишься… Ладно, одну рюмочку и назад. Иначе не высидит эту ночь. Нужен маленький допинг.

— Спокойного дежурства, — говорит Дживан санитарке (желать "спокойной ночи" не принято).

Тётя Шура ворчит в ответ что-то нечленораздельное.

Решено. Да. Две рюмки — и сразу назад.

…— Я приведу красноречивый пример. У нас в Карабахе было село Чардахлу. Там…

— Чер-да-?..

— Чар-да-хлу́. Оттуда вышло двенадцать генералов — три царских и девять советских. И два маршала! Вы можете себе такое представить?

— У нас тоже маршал был, Рокоссовский…

— Один. На стотысячный город. А здесь — деревня! Село в горах. Дюжина генералов, два маршала. Амазасп Бабаджанян, главный маршал бро-

нетанковых войск. А кто второй? Назовите второго! ...Ну как же, Тамара Михайловна? Разумеется,
Баграмян! Ованес Хачатурович Баграмян...

Большая бутылка наполовину пуста. Дживан
и Тамара сидят на диване. Рядом журнальный столик. Верхний свет выключен, горит настольная
лампа. Полумрак льстит Тамаре, она выглядит мо-
лодо, пряди выбились, глаза блестят.

— Как ты интересно рассказываешь, Дживанчик!..

Дживана дешёвыми штучками не проведёшь —
и всё же тепло похвалы, тепло признания смеши-
вается с коньячным теплом. Тамара, в отличие от
жены, умеет слушать. Дживан рассказывает, как
несколько лет назад родственники из Питера решили съездить домой и пригласили своих друзей,
русских. Из Степанакерта поехали в Шуши, взяли
вино, "Хиндогны", знаете "Хиндогны", не знаете? — и шашлык. А шампуры забыли. Ну вот забыли. Кругом большие дома многоквартирные. Что
они сделали? Просто встали и покричали — и через минуту вынесли шампуры! Русские не поверили, что незнакомые люди из многоквартирного
дома откликнулись. А в Карабахе — в порядке вещей. Никто не ворует, никто машины не запира-
ет. Садишься в маршрутку, знакомые попадутся (а
все знакомые, пол-Карабаха знакомые), кто первый
выходит — платит за всех. Никому за себя запла-
тить не позволит. Но и сам тоже за всех заплатишь,
если первый выходишь. Если денег в обрез, а ехать

недалеко — ещё подумаешь, ждать маршрутку или лучше пешком. Такие люди у нас. А здесь что? Здесь люди вообще друг на друга не смотрят. Даже мы с вами чокаемся — вы в глаза мне не смотрите…

— Смотрю, смотрю! — протестует Тамара, пытается придвинуться ближе. — Скажи, Дживанчик, какое у нас разнопёрое отделение: Лусинян — армянин есть! Алжибеев — казах есть. Шамилов — курд, да?.. Гарсия испанец. Ну, не совсем, мать испанка. Кстати, я её знала. Не помню, Мария как-то… Двойное имя. Она шторы шила. Но представляешь, в Подволоцке — испанцы! Ничего себе, да? Знаешь, были такие "испанские дети"? Давай за наш интернацн…

— Опять вы тамада, Тамара Михайловна?

— Ой, прости, Дживанчик, прости!

— Пятая и последняя рюмка…

Украшая Тамарину мысль, придавая ей риторическую изысканность, Дживан сравнивает первое психоневрологическое отделение, где каждой твари по паре, — с ковчегом Ноя, который покоится, как известно, между двумя вершинами Арарата; царственный Арарат изображён на армянском гербе — и на этой самой бутылке! Вот, видите две головы?..

Тамара ему аплодирует: да, да, и мы с тобой — твари по паре!..

Коньяк пахнет нагретым деревом, обжигает и лакирует язык, клюёт в затылок мягким длинным ударом — дон-н-н-н-н…

Зелёные горы, в горах средневековые крепости, родники, водопады. Вода — чистейшая в мире. Воздух — чистейший в мире. Всё настоящее: если воздух — так воздух. Еда — так уж это еда! А главное — люди: открытые, сильные и... "солёные". Почему? — переспрашивает Тамара. Дживан делает таинственное лицо. Тамара делает вид, что хочет лизнуть его в щёку. Дживан умалчивает о том, что русские — пресные. Он не говорит прямо про настоящую соль земли, про достоинства самой талантливой нации в мире, от Франции до Бразилии, от Калифорнии до Сингапура, про народ музыкантов и архитекторов, медиков и шахматистов, писателей и полководцев... или всё-таки говорит?.. Потому что армяне чтят своих предков — и любят своих детей. Не обижайтесь, Тамара Михайловна, но русские постоянно своих детей унижают. Я это не могу слышать! Как можно кричать на ребёнка, ругаться?..

— Ох, Гасина мать на него орала... Жуткий был темперамент. Испанка, чего ты хочешь...

— А отец кто?

— А отца там не было никогда. Гарсия — это *её* фамилия. Мария... Двойное имя, Мария как-то там... Но вот — характер. Совсем молодая была: шестьдесят с небольшим, шестьдесят один, кажется, шестьдесят два. Но пила. Понимаешь, пила. Под конец с ней вообще невозможно стало общаться. Больной человек, диабет, что ты хочешь... Ей, по-хорошему, нельзя было пить вообще. Тем более поздний ребёнок, тоже нагрузка…

— Гася не похож на испанца.

— Кто ж знает, каким бы он был, если б не это… Ты видел, какие у него глазки голубенькие? Видел, да?

— Как у моего дяди Кости… *Скац!..*

— Что, Дживанчик?

— Я понял, кого мне Гася напоминает. Мой родной дядя Костя — вроде другой совсем, но глаза…

— А у армян бывают голубые глаза?

— Тамара Михайловна, слушайте, армяне — это пятнадцать этнических групп. Таты, цаты, зоки, черкесогаи… Эдессийцы, понтийцы, франги — армяно-католики, армяно-греки, нахичеванские, боши — армяно-цыгане, армяно-евреи…

— Так выпьем же за армян!

— Тамара Михайловна, вы разбойница. Я же сказал, последняя…

— Отказываешься?

— Как я теперь могу отказаться… За армян и Армению — от Каспийского до Средиземного моря, за царственный Арарат, за благословенный Арцах! *Кец-цэ!*

В этот раз коньяк почему-то отдаёт в нос острым спиртом. Дживан вытирает глаза.

— Ты спать хочешь? Хочешь, ляг здесь?

— Нет…

— Я уйду, свет погашу?

— Нет, нет…

Угол шкафа перекосился, кренится. Фонарь за окном. В фонаре — осколки блестящих листьев.

— Я вам задам два вопроса. Про имя и про фамилию. Вот вы не можете понимать, а "Дживан" — это очень старинное имя, редкое. Сейчас опять мода на эти редкие имена, а раньше, в моём поколении, я не встречал больше Дживана ни одного…

— А я знаю, Дживан Гаспарян!

— Гаспаряну восемьдесят лет, он из маленького села рядом с Бжни: знаете такую воду, бжни?..

Кто-то внутри Дживана тихо говорит: "Стоп".

— …Дживан — это, знаете, как по-русски какой-нибудь князь… Ростислав, Изяслав…

— Ха-ха-ха! Из-з… Из-зяслав?!.

— Подождите, Тамара Михайловна, второй вопрос. Назовите правильно мою фамилию.

— Лу-усинян! Дж-ж-живан! Гр-рантович! Лу-уси-ня-я-ан! Самый! Талантливый! Неповторимый!..

— Не угадали. Моя фамилия настоящая — *де Лу-зиньян*.

— Де? …ртаньян?

— Последнего короля Армении звали Леон де Лузиньян. А отца его звали — Джованни де Лузиньян. Джованни. А по-армянски — Дживан.

— Джованни? Так ты, оказывается, Джованни?! Я чувствовала! Джованни, плесни рагацце…

— Король Армении. Был женат, между прочим, на сицилийской принцессе. Древний французский род. Лузиньяны. Друзья Ричарда Львиное сердце. Тринадцатый век. Крестоносцы. Что здесь у вас было в тринадцатом веке, кроме болота? Здесь и сейчас-то болото…

— Царь, очень приятно, царь! Можно тебя называть "Ваше величество"?

— А сын, Левон Пятый, имел титул "Король всех армян". Последний в истории. Его захватили в плен турки-караманиды, и он семь лет был в плену. Его выкупил Хуан Первый, испанский король. Подарил — армянину! — три самых главных испанских города: Мадрид, Вильяреаль… и третий не помню… но один Мадрид чего стоит! Армянину — целый Мадрид. Можешь такое вообразить?

— Нет, лучше "Ваше высочество". Прекрасный принц! Ты знаешь, Дживанчик, мужчине такие ресницы иметь неприлично!..

"Достаточно, ты уже сказал много лишнего, — холодно повторяет кто-то Дживану и смотрит на него с жалостью и презрением. — Кто эта женщина? Остановись". Но он всё-таки продолжает:

— И если среди человечества мы, армяне, глобально, как нация, первые прародители… А среди нашей нации я наследник, подчёркиваю, прямой наследник "Короля всех армян", то чисто технически — я ещё раз подчёркиваю, технически: кто я получаюсь? Глобально?.. Среди человечества?

— Ах, я чувствовала! Я же чувствовала, Дживанчик! Джованни, принц! За прекрасного принца!..

Мягкий удар и тяжесть, словно Дживан погружается в воду. Белый фонарь сквозь чёрные ветки, дождь, как подводное царство. Тамарина рука тёплая.

— Тебе хорошо, ты свободный… ты уникальный…

Что Тамара имеет в виду? Вроде бы наоборот, это она разведённая, а он женат: почему же тогда он "свободный"? Но эта мысль приходит издалека. В ушах у Дживана — эхо семейной тайны, которую он только что, просто так, открыл этой случайной женщине — почему?..

На мгновение фотовспышками возникают и гаснут пронумерованные паруса, регаты, красавицы в изумрудах, фраки, волшебные лампы, орден Золотого руна… пусто.

Какие-то мутные пятна. Разводы. Тусклые чёрно-белые полосы. Всё разрушено, всё превратилось в труху, не на что опереться… Деревня Дрюцк, деревня Лука…

— А ты сама… никогда не хотела бы… сжечь? — с трудом выговаривает Дживан.

Тамара, как будто дождавшись сигнала, жадно обхватывает его:

— Ух, Дживанчик, какой ты опасный…

Волосы растрепались, глаза горят. Не отрываясь от Дживана, она то ли ногой, то ли третьей рукой гасит свет.

— Знаешь, как я замучилась? Пожалей меня… Ну, Джованни…

— Что это вы творите, Тамара Михайловна?..

ГЛАВА 8

— Догадайся… Джованни…

Фонарь за окном. Стол точно покрыт белой пылью. В темноте слышится слабый стук. Белый блик на бутылке, шум долгого медленного дождя. Стук повторяется. Запах кожезаменителя и запах пролитого коньяка, бледнеющая полуявь, какие-то паутинки, волокна… И вдруг Дживан осознаёт, что стук за дверью — это щёлканье зажигалки!

Дживан отталкивает Тамару, вскакивает, вслепую шагает к двери, распахивает, дверь ударяет во что-то мягкое… за дверью Гася.

Гася?! Почему Гася? Бред. Этого же не могло быть, потому что…

Гася похож на огромный обмякший мешок. Он держится за плечо, наклонился, лица не видно: раздавленный мизерабль, самый последний из мизераблей, вот это ничтожное существо — и есть тот страшный злодей, за которым Дживан охотился? Нет, постойте, ведь у Гаси был приступ, он должен был лежать без сознания всю ночь, Тамарину дверь поджигали ночью…

А Дживан шёл на принцип, Дживан обещал Тамаре уволиться; если этот *т'опал каклан* отправится в Колываново, — Дживан готов был отказаться от работы, которая кормит его пятнадцать лет, шестнадцать лет, ради этого мешка с дерьмом — и такое предательство?!

— Джованни? — слышится за спиной. Тамара еле ворочает языком, у неё выходит не то "Джамни", не то "Джвами", в голосе недоумение, и обида, и потуга звучать игриво, заманчиво, словно второразрядная одалиска...

Гася приподнимает голову, в коридоре темно, лица не разглядеть — и щёлкает тем, что держит в правой руке. Щёлкает снова, пламя не появляется, только искры. В зажигалке нет газа. Тьфу, кретин, *гёти мины*, убогое неблагодарное существо!

Дживан вырывает из вялой руки зажигалку и с яростью бьёт о косяк двери, промахнулся, ссадил мизинец, колотит ещё, ещё, отлетает деталь, звякает, катится по полу... То, что осталось от зажигалки, Дживан вышвыривает в коридор.

— Что такое? — капризничает Тамара из темноты. — Джованни?

Дживану хочется Гасю отмордовать, бить ногами за то, что бессмысленное животное не хочет жить, не даёт спасти себя, жирный баран, *гямбул*, *гёт*, пшёл отсюда! — Дживан молча, сильно толкает Гасю в грудь, тот отшатывается, но не падает: ощущение, будто вместо боксёрской груши ударил в ватный мешок. Дал слово спасти тебя, мизерабля, — спасу... Иди вон! — и, отбросив его в коридор, Дживан с силой захлопывает за собой дверь.

— Кто там... был? — Тамарин голос твердеет. Ещё секунда — она начнёт превращаться в начальницу. Сказать про Гасю — тогда завтра его отвезут в Колываново, как они и хотели, Тамара со старшей сестрой, получится, что Дживаново слово — мезга, шелуха, выеденного яйца не стоит, Дживан *гижъдуллах*, о Дживана можно вытирать ноги… Но если не Гася — то кто там за дверью был? *Г'ахпи тха!* Как отвечать на вопрос? Кто за дверью? *Ес ку мамат!*

Тамара приподнимается на кушетке, Дживан толкает её обратно.

То, что делается в следующую минуту, так, по-видимому, ошеломляет Тамару, что она какое-то время не может сообразить, как это расценивать: как оскорбление — или как проявление страсти. В первый момент она пытается вырваться, вывернуться, но Дживан не оставляет ей выбора, его грубость пугает и подавляет её: "Что, добилась? — молча вдалбливает Дживан. — Добилась своего? Добилась? Ты э́того хотела? Ты та́к хотела?" Но и злость блёклая. Болит ссадина на мизинце. И вот, похоже, Тамара решает, что да, это страсть (может быть, настоящее жгучее вожделение так и должно выражаться, так грубо и зло?) — и начинает пытаться подлаживаться к нему с неумелостью, которая в стареющей женщине кажется Дживану жалкой; особенно неприятен запах её волос, сухой, как будто горелый: чтобы заглушить этот запах, Дживан пьёт из горлышка, проливая; бутылка становится легче; он хочет избавиться, освободиться, чтобы это бессмысленное и тоскливое поскорее закончилось, но всё, что сейчас происходит с ними обоими, и то, ка́к это происходит, настолько плохо, и горько, и тягостно, и унизительно — что, как назло, как в насмешку, всё длится и длится.

Тьма в комнате не сплошная, не чёрная, а как бы пыльная или зернистая, колышется и крошится перед глазами. Дживан чувствует тошноту. То ли он в полусне, то ли уже начинает светать, ночь бледнеет, затягивается белёсой плёнкой, мерещатся слабые, тающие просветы, прогалы, и за границами зрения прорастает вопрос, обращённый к Дживану. Вопрос всплывает, выталкивается, как пузырь: "Что с тобой? Что ты делаешь?"

Дживану кажется, что Тамарины волосы пахнут сильнее — как в Степанакерте, когда на скотобойне мололи кости: горелый запах будто бы разъедает тьму, ночь убывает, как в раковину утекает вода, — и, как в голой ванне, Дживан остаётся один: а действительно, что он делает сейчас? и с кем? Что он сделал за всю свою жизнь в ожидании коронации? Совершил подвиг — какой? Сохранил верность — кому или чему? Что осталось, кроме чувства собственного превосходства, особенно неприглядного на фоне тех, кого он про себя называл мизераблями? Ночь светлеет, и сквозь неё начинает проступать новое, и, похоже, уже окончательное.

В комнате больше нет стен. Они растворяются, растекаются дымом. Дживан хочет заплакать, как плачут от настоящего горя, но, чтобы заплакать, нужно на что-нибудь или на кого-нибудь опереться, а он один, вокруг только белёсая пустота, он пытается выдавить из груди рыдание — и вдруг его будит раздавшийся в коридоре громкий, яркий хлопок!

9

Я рождённый Гарсия, владыка мира.

В моём матрасе дыра. Небольшая. Я проделал её самолично.

Кровать стоит вплотную к стене, никто не обращает внимания на дыру. Я лежу, матрас сплющен под моим титаническим весом, дыры не видно. Впрочем, никому дела нет. Мало ли кругом дыр, прорех, щелей, трещин, рваных тряпок, ветхих простыней, липких клеёнок, порченой человеческой кожи... Я осторожно просовываю пальцы внутрь, во влажноватые спрессовавшиеся волокна, и извлекаю усики.

Маленькие железные усики, длиной с мой мизинец. Пружинят. Если зажать эти усики между большим и указательным пальцем — можно ими слегка поклацать, как щипчиками. Клямц-клямц. Волнистые... верней, так: посередине, на круглом сгибе, гладкие; потом волнистые: раз, два, три изгиба — и снова расходятся гладкие, а на концах миниатюрные шишечки, набалдашнички. Почти невесомые... может быть, один грамм. Или меньше. Отличные усики. Кто со шприцом к нам придёт, от усиков и погибнет.

Помнишь, я точно такими же усиками чуть не спалил квартиру?

У нас в гостях была... как же звали её... Тётя Эля, конечно! Для меня "тётя Эля", для тебя — за глаза — "Элька" и "*пута*". Бывал ли у нас в гостях кто-нибудь, кроме неё? Не помню. Заказчицы в счёт не идут. Заказчицы появлялись и пропадали. Нет, ты совсем не умела поддерживать отношения... Да и к чему? Ты была — королева.

В раннем детстве... Наверное, мне было года три-четыре: я случайно увидел, как ты примерила... или не примерила, а приложила к себе только что сшитое платье, полюбоваться на себя в зеркало: скорее всего, это было концертное платье, сплошь блёстки-блёстки. Мне показалось, что ты исчезла: осталось только лицо — глаза, серьги, царственные ярко-чёрные волосы — и волшебные волны перебегали, сияли... Должно быть, я подсмотрел через щёлку, через приоткрытую дверь, и утвердился в мысли: мамита — тайная королева. Тебе пристало одаривать, осчастливливать избранных малым кивком, сдержанным мановением, небрежно бросать в толпу пригоршню золотых эскудильо… И если ты — королева, то я по рождению принц, а все прочие — чернядь, жалкие выскочки, первая из которых — Элька, *мальдита пута* и скобариха.

Иногда она приводила с собой Виталю. Виталя был мой ровесник. Может быть, чуть постарше. У него были пухлые, но исключительно цепкие руки и вкрадчивые, очаровательные глаза с девичьими ресницами…

Представляешь, я только что, в эту секунду сообразил: наш Минька, Амин Шамилов, — я-то всё застревал, зависал, думал, кого он мне напоминает? — вот же: тёти-Элиного Виталю! — казалось, забытого на веки вечные… Представляешь, этакий фантом из детства… Забавно…

Да. Стало быть, возвращаюсь: ты отзывалась об "Эльке" пренебрежительно — что, однако, не помешало тебе купить брауншвейгскую колбасу, нарезать тонкими твердокаменными кружочками, разложить веером — и проследить, чтобы я подготовил к приходу гостей свои альбомы с гербами и геральдическими таблицами.

…— Нет, не "андреевский", не "андреевский"! Какой же это "андреевский", ха-ха-ха? Никакой не андреевский, а бургундский: вот, видите выступы?..

С апломбом узкого специалиста я демонстрировал тёте Эле и стекленеющему Витале картинки, тщательно перерисованные из "Иллюстрированного словаря по геральдике":

— Видите выступы? Наподобие сучьев? Называется "пнистый крест"! Это наш флаг, морской флаг Испании. Под этим флагом мы в 1536 году покорили Перу…

Виталик лупал ресницами. Тётя Эля сидела со сложной причёской, мучительно изображая внимание.

Потом вы с ней остались на кухне и закурили — обе, как я сейчас представляю, с большим облегчением: ты — оттого, что я не ударил лицом в грязь; тётя Эля — что пытка моей гениальностью кончилась. "Мальчиков" вы отправили в комнату поиграть.

То, что случилось перед пожаром, — это одна из моих малых тайн. Рассказываю впервые.

Как только захлопнулась дверь, Виталя принялся бесцеремонно выдвигать ящики: там были сложены твои рулоны, отрезы тканей, мотки тесьмы… Не найдя достойной поживы, он пошатался по комнате — и спросил, умею ли я "отрубаться".

Через пару минут я изо всей мочи вдыхал — и, сильно сгибаясь вперёд, выдыхал, — а Виталя сзади брезгливо приобнимал меня сцепленными руками, острой косточкой большого пальца упираясь мне в солнечное сплетение. Не жалея себя, я выдохнул и вдохнул раз семьдесят или сто, вдруг что-то случилось — и дальше я помню только: лежу на полу. У виска, рядом с моим лицом, — ножка комода. Виталя заходится от восторга: "Абсдольц ващще! Я думал, ящик треснул! Или башка твоя треснула, во ты херакнулся!.."

А уж я ликовал. Под волосами прощупывался бугорок — намёк на боевой шрам. И главное счастье — я только что по-настоящему терял сознание. Пусть на какие-нибудь секунды, на долю секунды — но меня не было! Понимаешь, меня не было среди этих рассохшихся ящиков, пахнувших пыльными тряпками и лекарствами. Землетрясение, взрыв Тунгусского метеорита, налёт назгулов, атомная война, что угодно, только не это ватное изнеможение изо дня в день, — лучше в холод, в мороз, в скитания, в нищету, только вон из квартиры. Ты, наверное, огорчишься… Конечно же, огорчишься — я никогда не решился бы тебе сказать… да и слов таких не нашёл бы, — но, пожалуйста, попытайся не обижаться, а просто поверить, что не было в моей жизни времени хуже, скучнее, беспомощнее, безысходнее детства. Даже здесь, в надзорной палате, мне легче…

Потом мы с Виталиком поменялись. Он показал на себе, куда надавить, и в свою очередь глубоко задышал — но не так самоотверженно, как дышал я. Насчитав сотню вдохов и выдохов, я изо всех сил надавил Виталику на живот. Его покачнуло к комоду — но он не упал, а только сел на кровать и, кашляя, стал шипеть на меня и ругать обсосом и слабаком.

Ох, как мне было стыдно. Неблагодарный слабак. Только что я получил такой роскошный подарок, кусочек небытия с доставкой прямо в детскую комнату, — а сам? Нет, нельзя было оставаться в долгу.

Я вытащил из-под стола удлинитель. Помню, он выглядел как усечённая пирамидка с тремя розетками: одна сверху, две по бокам. Пирамидку я водрузил на кровать, на бессменное покрывало с красной шерстяной бахромой. Примерился, чтобы усики попадали в розетку, — точно такие же усики, какие сейчас у меня в кулаке, — пружинистые, волнистые посередине, с шишечками на концах… Нет, твои шпильки были потолще и покрупнее: чтобы удерживать твои густые тяжёлые волосы, нужны были большие заколки — они безнадзорно валялись по всему дому… Оружие. Огнеприпас. Я слегка разогнул металлические усы — и воткнул шпильку в розетку.

Нет человека, который хуже меня разбирался бы в электротехнике (как и во всём житейски-утилитарном), — но, сдаётся, произошло нечто странное. Во-первых, меня должно было дёрнуть током. И во-вторых — повторю, я ни в чём этом узкопредметном не разбираюсь, но мне кажется, что должны были вылететь пробки, — нет, свет не погас. Случилось другое. Из пирамидки вывинтился голубой праздничный огонёк, облизнул шпильку — и превратился в обычный оранжево-жёлтый огонь, потому что сразу же загорелось моё покрывало, скрученная шерстяными колбасками бахрома.

Я торжествующе оглянулся, но Виталика в комнате не оказалось. Бахрома застелилась довольно густым белым дымом. Только в этот момент мне впервые пришло в голову, что в моём начинании был некий изъян. Приключение удалось на славу — и всё же какую-то мелочь я вроде бы упустил...

Но по-настоящему трагическая ошибка произошла, когда ты вбежала в комнату. Да, да, ошибка гораздо худшая, чем даже вся эта затея со шпилькой. Дело в том, что, вбегая ко мне, ты так неестественно, так театрально кричала, трясла руками — точно каратист, чёрный пояс двенадцатый дан, с криком "кийя!" разбивающий одновременно двумя руками две кирпичные башни, ты так энергично и весело колотила и правой и левой, так это у тебя получалось азартно, задорно, так залихватски, что... я не обманываю тебя!.. я подумал, ты шутишь, и закатился смехом.

Ты сграбастала шнур удлинителя и дёрнула с такой силой, что выломала из стены всю розетку. Гости сразу ушли. Ты курила — прямо здесь, не на кухне, а в комнате, где я делал уроки, жил, спал, болел... Это значило, что мир перевернулся, произошла катастрофа. Розетка криво болталась на проводках.

— Тебе было смешно?

Твой голос казался почти спокойным, как будто ничего фатального не случилось, — но я боялся поверить.

— Смешно тебе было?

...Было ли мне смешно, когда я засмеялся? Естественно, да: я засмеялся, потому что мне было смешно. Мне было смешно, поэтому я засмеялся. Я не понимал смысл вопроса.

— Что мнёшься?

Ах, вот! вот! Наверное, ты спрашивала меня: *хорошо ли*, что я засмеялся? Считаю ли я сейчас, что, смеясь, я поступал хорошо? Нет, конечно же, нет! Это было плохо, ужасно плохо и непростительно!

— Нет...

— Не шелести. Говори, чтоб я слышала.

— Нет!

— Чтó "нет"?

— Не смешно...

— Громче.

— Мне было не смешно.

— Врёшь, врёшь! Всегда врёшь! Посмотри на меня! Видишь руки? Вот, видишь пальцы? Вот, вот!! Что морду воротишь? Смотри! *Мальдито сэас, мокосо, каброн*, дрянь, паршивец, смотри! Все исколоты все, вся исколота, к врачу времени нет, на больных ногах целый день, для себя? Для себя?! Не сопи, дрянь такая! У меня сахар двадцать, колочусь, с двумя высшими образованиями, *ке мьерда*, а? *Пор ке коньо?* С утра до ночи строчу тряпки, *мьерда*: вот, руки видишь мои?! Некрасиво? Смешно? Не дави слезу, не дави! Дрянь паршивая, *мальдито сэас!* Ты что́ наделал тут? Вот, вот, вот, — ты несколько раз ткнула в зияющую, обугленную залысину посреди моего покрывала, — ты здесь что сделал, а?! Это что здесь такое? А?

— Извини…

— Громче!

— Пожалуйста, извини…

— Ах, умница! Здо́рово как придумал! Какой молодец, да? "Извини" — иди *мамита аль мар,* да? *арар эн эль мар!* Гладки-взятки, да? Всё, да? Нет, милый мой, так не бывает, теперь поздно, всё! Так позорить мать! Нет, ты же весь такой умный, начитанный, энциклопедии — объясни мне, как же это так можно позорить мать? Ты Гарсия! За что ты меня так позоришь?! Что мнёшься?

— …

— Громче! Что?!

— …В туалет…

— Потерпи, ничего! Мне свинарник устроил тут! — Ты стащила с кровати обугленное покрывало и тыкала в меня. — Что я буду теперь с этим, что? "Купит новое", да? "Мамита купит"? Да? Поработает, заработает? Что же ты за человек такой вырос? Что за паршивец, а? Что за дрянь такая бессовестная? Или ты идиот? Может, ты идиот просто? А? Отвечай! Идиот?

— Да…

— Не смей!! — Ты так завизжала и так неожиданно дёрнулась на меня, что я — но, честное слово, без умысла, инстинктивно я отшатнулся и ещё приподнял одну руку, как бы защищаясь... Может быть, здесь действительно был и наигрыш — то есть самая-самая малость наигрыша, чтобы ты меня пожалела?.. Нет, честное слово, всё случилось непреднамеренно, само собой...

— Ах, избили, убили! Ах, бьют его! Избивают! Ручкой он прикрывается, дрянь! Что ты цирк мне устраиваешь?.. Издеваешься надо мной, *мокосо, каброн*, дрянь такая! Ты понимаешь, у меня сахар, дрянь?! Ты можешь это понять или нет?! Я одна колочусь! У меня сахар двадцать, выплясываю! Перед кем?! Ах, Эльвира Михална то, Эльвира Михална сё, *беса ми куло пута*, чайку-кофейку не желаете, для себя?.. Для себя? Для себя это делаю? Для себя?! Всё ему, всё ему, всё, последний клочок!.. Больная насквозь... не реветь! Раньше надо было реветь, теперь поздно! Как баба! Баба! Подбери сопли свои сейчас же! Рыцарей рисовать — молодец, — латы... Какой ты Гарсия? Ты баба сопливая! Посмотри на себя — не противно? А? Нет? Самому не противно? Хватит вертеть это! Нормально стой!..

Ничего не поправить. Темно.
Я старался ложиться не посередине кровати, а с краю. Чтобы деревянная рама была под рёбрами.

И чтобы было холодно от стены. Я не имел права ложиться удобно.

Мог немного сдвинуться к середине, когда болел, давал себе временную поблажку. Температура спадала, и ты разрешала мне перечитать "Властелина колец". Я нырял в замусоленный том — в рокочущий кратер ныряло тяжёлое золотое кольцо… Вначале оно казалось гладким, потом его бросали в огонь, и на зеркальной поверхности проступали зловещие письмена. О, как верно: всё не такое, как кажется. Под видимостью обычных вещей, буквально здесь, под щекой, под подушкой — скрыта грозная тайна, которая проявляется лишь в огне…

На чужбине скрывается тайный король, всегда хмурый, осунувшийся, неузнаваемый. Его сторонятся современники, им пренебрегают — но впереди, на горизонте последней части маячит, постепенно делаясь ярче, слепое солнечное пятно — Возвращение Короля.

Из тома вываливались страницы, как будто он был всего лишь истрёпанным черновиком другой книги: конечно же, Арагорном был я. Сквозь это имя прочитывался Арагон, родина твоих предков. Гарсия, принц Арагона.

На край прикроватного столика сдвигались чашки, лекарства, пипетки, я перерисовывал из "Словаря по геральдике" символические фигуры: головы мавров, дуб о семи корнях; по линейке вычерчивал полосы на *саньере*: так назывался наш древний флаг, флаг Арагона, ставший впоследствии флагом Испании, с тёмно-красными и золотыми полосками.

Я рубил головы мавров направо и налево, когда был Гарсией Дрожащим (не от страха дрожащим, а от нетерпения ринуться на врагов). Будучи Педро Великим, короновался в Палермо, и на четыреста тридцать лет Сицилия становилась испанской провинцией. Моим особенным уважением пользовался Карл Пятый (он же Первый), король Арагона, Кастилии и ещё двадцати пяти стран: никто из монархов ни до, ни после Карла не мог похвастаться такой коллекцией титулов. Во главе армады из шестисот кораблей мы с Карлом брали Алжир. Пираты, засевшие в крепости Касба, приспешники Хайруддина по прозвищу Барбаросса, лили сверху кипящую нефть.

На тёмной воде горели куски пенопласта. Пенопласт пузырился и растекался по воде плёнкой, как будто еловыми лапами: казалось, горит вода. Старшеклассники (в Подволоцке говорят "ма́льцы") залезли в чужой погреб или гараж, стащили канистру солярки и побежали с этой соляркой на котлован. Был такой запрещённый полузатопленный котлован. Бросали в бурую воду куски пенопласта, обливали соляркой и жгли. Я жадно смотрел на пламя и угольно-чёрный дым, густой, словно нефть Барбароссы.

Дома меня ждала сцена — привычная, но от этого не менее душераздирающая. Бывает такое рутинное, что повторяется по шаблону из раза в раз — и вроде царапает лишь по поверхности, но с каждым разом всё глубже, и разъедает... Ты меня понимаешь.

Гораздо хуже, чем любые ругательства (сволочь, паршивая дрянь, эгоист), — самым худшим был *сахар*. Я опоздал на час двадцать, испачкал новую куртку копотью, и твой сахар поднялся до двадцати четырёх. Я был готов... наверное, так нельзя говорить, но я с тобой полностью откровенен, так вот: я был готов на пятнадцать, даже на восемнадцать, но двадцать четыре — это было уже чересчур.

Я лежал в тёмной детской, на самом-самом краю кровати, специально так отодвинув её от стены, чтобы рама как можно больней упиралась мне в рёбра, при этом чтобы я не проваливался, не сползал на пол, а как бы висел между стеной и кроватью, а над шкафом и на потолке разрастались громадные зубчатые цифры, вращались чёрные шестерни: сахар двадцать четыре... двадцать восемь... восемьдесят шесть...

Ты заболела из-за меня. Всегда это знал. Не помню откуда, но знал. Из-за меня ты уехала из легендарного Ленинграда, порвала с королевской семьёй и по ложному обвинению была сослана в Подволоцк, в эту *кака де вака*, *де мьерда*, дыру,

217

в пятиэтажку *де мьерда*, где все соседи *де мьерда* прятались за разнокалиберными сварными решётками и просечками, ты плевалась от самого этого слова "просечки", на первом этаже только у нас были чистые окна, без плебейских просечек, потому что ты была не какая-нибудь занюханная скобариха, а тайная королева Кастилии и Арагона.

Ты, яркая, громкая, твои серьги и перстни, которые ты не снимала даже во время работы, пока руки не начали опухать, твои густо накрашенные глаза, твоя чёрная грива. Тебе — рубить головы, посылать корабли на Алжир, тебе — танцевать, припечатывая каблуками, опрокидывать амонтильядо, бросать бокал вдребезги о брусчатку, тебе — кастаньеты, дублоны… А вместо всего этого — я.

Мой долг был заведомо неоплатен. Чем я мог его искупить?

Я рисовал герб Гарсия. Ставил на дыбы львов, золотого с червлёным: в геральдике нет жёлтого цвета, а исключительно "золотой"; красный цвет называется "червлёнь" или *"гёльз"*, по-латыни "пасть", раскрытая львиная пасть. Львы становились перед тобой на задние лапы. Червлёный цвет, он же *гюльз* или *гёльз*, — символизировал львиную храбрость, а золотой — благородство. Твою корону я щедро усыпал жемчугом и рубинами, и так усердно закрашивал полосы на *саньере*, что красный фломастер бледнел на глазах.

В холодильнике, в дверце, всегда стояла бутылка. Уровень в ней менялся непредсказуемо: только что полупустая — и снова полная — и на донышке. Мне хватало пол чайной ложки. С верхушки фломастера отколупывалась затычка, пипеткой закапывались пять-шесть-семь остро пахнувших капель. Из щёлочки между стержнем и корпусом выползала большая капля, выпуклая, прозрачная, с червлёным глазком, — и у фломастера начиналась новая жизнь, яркая, но короткая.

Я удостаивал себя высшей в мире награды, ордена Золотого руна. Пахнущей водкой червлёни хватало на то, чтобы закрасить языки пламени (*"эмаль, рубины"*), которые разлетались от символического огнива. Звенья орденской цепи тоже стилизовались под инструменты для высекания пламени. Из присущей мне аристократической скромности я не надевал полукилограммовую золотую цепь, ограничиваясь простой муаровой лентой. Лента хранилась в нижнем ящике шкафа: красная, переливчатая, довольно широкая, с географическими разводами.

Я последовательно становился маркизом, ландграфом, эрцгерцогом — и готовился произвести себя в принцы, подняться на высшую из возможных ступеней: надо мной была только ты, королева-мамита.

Странно, но я не помню, чтобы в грёзах присутствовал король-отец. Ты никогда не затрагивала эту тему. Мне кажется — но я не знаю наверняка, и теперь уже не узнаю, — я думаю, что он был невысоким. Возможно, однажды ты проворчала или прокричала "в кого такой *гамбалуй!*" (такая орясина). Мне и самому не нравилось, что я длинный. Вообще, я был себе физически неприятен.

Итак, первое: вероятно, отец был невысоким. Второе: не смогу тебе толком объяснить почему, но он был связан в моём воображении с землетрясением — или с какой-то расщелиной или пещерой, возникшей после землетрясения. Можешь себе представить такую глупость? Я смутно припоминаю — или воображаю, — что когда-то очень давно ты сказала, что он "провалился сквозь землю", и я маленький это воспринял буквально. Больше мне не было предоставлено никакой информации, ни одной фотографии, ничего. И пожалуй, твоя политика оказалась разумной: не помню, чтобы в детстве тема отца меня сколько-нибудь занимала. Разве что иногда — почему-то обычно в школе, во время урока — подмывало вскочить и подбежать к окну, выглянуть: не стоит ли внизу… кто? Не знаю. Стоит и ждёт меня. И ещё где-то сбоку, как бы за границей зрения, в слепом пятне, мерцало предчувствие, что вот буквально сейчас, через минуту — кто-то позвонит в дверь, когда я буду дома один; или когда я возвращаюсь из школы, выйдет навстречу из-за поворота — и всё мгновенно изменится. Всё наконец встанет на место.

ГЛАВА 9

После того как ты укладывала меня спать, я, выждав, перебегал босиком, осторожно снимал шпингалет и приоткрывал окно — так, чтобы с улицы было заметно. И вот однажды...

В августе я заразился краснухой и провалялся три безвозвратных летних недели, а ближе к первому сентября, как назло, не осталось ни сыпи, ни температуры. Чувствовал я себя как-то блёкло, но ты прикрикнула, чтобы я не *гандульничал*, — ещё одно из твоих словечек, ни от кого я таких больше не слышал: мол, хватит гандульничать, в школу, в школу!..

В школе меня пошатывало, один раз я очнулся лежащим на парте — медсестра сообщила, что всё от быстрого роста. Действительно, в это лето я вытянулся (раньше всех одноклассников), моё тело казалось мне безобразным, стесняло и тяготило меня. Хуже всего было то, что я неожиданно стал высоким. Дети — сугубые формалисты. Маленького иной раз оставили бы в покое, а раз ты высокий — значит, большой. Большой, да ещё слабосильный — самая привлекательная добыча...

Так вот. Однажды в конце сентября, ночью — наверное, в час или в два — я проснулся. Пальцами ног дотронулся до деревянной спинки: кровать становилась коротковата. За окном шуршали мокрые листья, просвечивал через листья фонарь, по стене переворашивались тени... Вдруг буквально в трёх шагах от меня — у комода — тьма сгустилась в склонившийся силуэт.

Кто-то чёрный нагнулся над нижним открытым ящиком, запустил руку глубоко внутрь — и шарил.

От ужаса я онемел. Буквально: не мог выдохнуть, вдохнуть, глотнуть — и от этого испугался ещё истошнее. Может быть, всё-таки мне удалось выдавить какой-то писк или кровать заскрипела: человек метнулся ко мне и накрыл мне лицо, зажал рот и часть носа своей ладонью.

Не думаю, что он хотел меня придушить: скорее, просто хотел помешать мне кричать. Зажал крепко. Я мог кое-как дышать носом. Рука была жёсткая, чёрствая. Я совершенно одеревенел. Он чуть-чуть наклонился ко мне…

И тут случилось самое невыносимо позорное, о чём я ни тебе, никому никогда не рассказывал. Видимо, это и называется "стокгольмский синдром"… если он может развиться в считаные секунды.

Понимаешь ли, эта рука, зажимавшая мне лицо, была жёсткой, мозолистой — но тёплой и… как сказать… настоящей, надёжной. Я знаю, звучит ненормально. Но вместо страха — или вместе со страхом — я ощутил внезапную благодарность… и — как же тебе объяснить?! — ощутил преданность, потому что он был, во-первых, мужчиной, я вообще редко имел дело с мужчинами; во-вторых, небольшого роста; и, в сущности, появился из-под земли, — и заметь: он же не делал со мной ничего плохого, а крепко, надёжно, совсем не больно накрывал меня, даже как будто защищал моё лицо своей тёплой солёной рукой…

В общем, я изнутри прикоснулся губами к его ладони. Не сильно. Но тронул губами, чмокнул, поцеловал чужому грязному подлому вору руку.

Вот тебе и все подвиги и гербы, гёльз — цвет храбрости, золотой — благородства… смертельный позор.

Может, мне примерещилось позже — но, кажется, он отдёрнул ладонь, потом нагнулся ближе, словно приглядываясь ко мне и бормоча что-то вроде "Нячё, нячё…" В этот самый момент дверь открылась и в комнату вошла ты в белой ночной рубашке, со вспученными со сна волосами.

Мгновение — и с диким воем ты бросилась к моей кровати — он отпрыгнул к окну и ловко вымахнул за подоконник. Ты рвала с меня одеяло: "Что?! Что он делал? Что сделал?!" — больно хватала меня, цел ли я…

Вдруг замерла, прекратила меня ощупывать и дёргать — и в развевающейся ночной рубашке ринулась к открытому комоду. Запустила туда руку — так же, как вор две минуты назад, — зашарила по дну ящика и по внутренним стенкам… Подбежала к окну, закричала… но след, как правильно говорится, простыл.

Что дальше. В комнате был включён свет. Яркий свет поздней ночью, когда весь дом спит, город спит, — яркий свет особенно безжалостен, безнадёжен. Ты выла: я понял, что у нас украли все деньги, теперь мы бомжи. Постепенно я приходил в себя, пробуждался из прежней, лиственной шевелящейся темноты — в голый свет. Я видел вора — и позволил ему забрать все твои сбережения. Не убил, не ударил. Не ринулся на него, как подобало Гарсия. Я даже не поднял тревогу. Я тебя предал, я предал всё... Ты, слабая женщина, — бросилась на защиту, сразу же, без колебания — и он бежал! А что я?.. Мало, мало позора: поцеловал ему руку...

Ты что-то спрашивала, но я уже чувствовал, что совсем близко, в двух-трёх шагах, разверзается чёрная позорная яма, я могу заглянуть в эту бездонную яму, уже наклоняюсь туда и теряю сознание.

Утром ты отвела меня в поликлинику, и у меня обнаружили инсулинозависимый диабет.

Сейчас смешно вспоминать — но поначалу я ощущал только гордость. Теперь у меня был свой собственный сахар. Пусть и не двадцать четыре — но тоже внушительный, не индюшачья сопля (твоё выражение, "не индюшачья сопля", *но эс моко де паво*). В первое время ты стала какая-то неуверенная, будто не знала, как теперь со мной разговаривать. У тебя поседели корни волос.

Потом всё мало-помалу вернулось, ругань вернулась. У тебя появилась новая каторга — водить меня в секции. Сколько ты ни меняла врачей, они как сговорились: мне требовались физические нагрузки. Ни в одной из спортивных секций я не задерживался: кому был нужен переросток, вялый, длинный, нескладный, бесперспективный, проблемный, — и даже если такого терпели несколько недель, ты находила повод устроить скандал и забрать меня. Одних секций плавания было три. Собственно, ровно столько, сколько бассейнов в городе Подволоцке. Последний, третий бассейн был на улице Дружбы…

Сейчас отвлекусь на минутку, вспомнил кое-что забавное. Месяц назад — здесь, в больнице, в надзорной палате — я простудился. Ирма Ивановна закапала мне капли в нос — и вдруг я ужасно занервничал, буквально до дрожи. Сперва подумал, что это реакция на лекарства, — но вроде бы никаких новых лекарств в этот день мне не давали, уколов не было… Дрожал так, словно мне предстояло какое-то испытание. В то же время щемило… то ли воспоминание о какой-то потере, будто я что-то не выполнил, недовыполнил, и теперь уже поздно, то ли… Я догадался! Капли от насморка содержали гидрохлорид. Точно так же щипало в носу, когда я ходил на плавание и в нос попадала хлорированная вода. Сообразив это, я почувствовал такое же облегчение, как после глубокого тяжёлого сна, когда постепенно осознаёшь, что лежишь невредимый в своей постели.

Секция начиналась в 16 по четвергам и в 18 по вторникам. Вторники я любил больше. Хотя к вечеру вода остывала и залезать было холодно — зато в бассейне не копошилась младшая группа, не приходилось оттискиваться от чужих скользких рёбер, локтей…

На меня гипнотически действовали оловянные блики, вилявшие по поверхности; свистки и окрики тренерши, плеск и громкий шорох воды сливались в размытый гул, колыхались бледные пятна, склеиваясь и размыкаясь… Очутившись на бортике, я впадал в заворожённое оцепенение — и снова, в который раз не слышал команду…

Ты поджидала меня после занятий, колола скарификатором, что-то подсовывала из пакета… Потом начала отпускать меня одного, но моя репутация уже была безнадёжно испорчена: дети (по крайней мере, все дети, которых я знал) не любят зависимых, не любят слабых, больных. В физических упражнениях я никогда не блистал — и плавал тоже неважно (боялся опустить лицо в воду), но в бледно-зелёном кафельном зале бассейна, на бортике и в воде — чувствовал себя в сравнительной безопасности. Да, могли поставить подножку, могли исподтишка ткнуть, под водой устроить какое-нибудь поползновение, — но всё же с оглядкой на свирепую тренершу. А вот в душевой, в раздевалке я был беззащитен. В душевой вечно стоял туман и текли мыльные ручьи. В раздевалке, почему-то у самой двери, в самом неудобном углу, висела сушилка для волос — точней, две сушилки, одна всегда была сломана. Другая трещала и дула еле-еле, к ней всегда выстраивалась очередь...

Начиная с детского сада у меня какая-то патологическая неспособность быстро одеться, быстро раздеться, аккуратно сложить одежду — вечно вываливаются какие-то непредвиденные рукава, штанины, полы... Ты встряхивала меня: "*Бенга! Не зависай! Не копайся!*" В детском саду моим вечным кошмаром были колготы, я до сих пор ненавижу эти слова: рейтузы, колготы, — они почему-то всегда были тесные, не налезали в паху, а внизу, наоборот, волочились и скручивались, я в них запутывался, меня толкали, я падал...

Однажды зимой на шестичасовом занятии вместо тренерши появился незнакомый молодой парень — атлет с удивительными плечами, круглыми, как шары, и лоснистыми. Все старались понравиться новому тренеру. Он разрешил нырять с тумбочки. Это давно было всеобщей жгучей мечтой — но тренерша оставалась неумолима. А парню было, по-видимому, плевать, он не отрывался от своего мобильного телефона: мол, прыгайте хоть всё занятие, только лучше — меньше возни. Все были счастливы буквально до поросячьего визга: галдели, толпились, втискивались в очередь, в неразберихе кто-то успел прыгнуть во второй раз и даже в третий, пока от меня до тумбочки не осталась всего пара дрожащих спин в гусиной коже и каплях.

Одни быстро вскакивали на тумбочку — и так же ловко ныряли руками вперёд. Другие медлили, а потом бухались враскоряку, хотя нужно было элементарно собраться и в этом собранном виде упасть в воду — просто упасть: как же они умудряются делать это настолько уродливо, думал я, с нетерпением ожидая своего звёздного часа.

Наконец влез на тумбочку, браво сложил руки лодочкой, глянул... и обмер: вода была не сразу же под ногами, как я ожидал, а далеко-далеко.

Когда я, стоя в очереди, смотрел на ныряльщиков, то видел тумбочку высотой пятьдесят, максимум семьдесят сантиметров, и всё. Но теперь к этим семидесяти сантиметрам прибавился мой немаленький рост, да ещё расстояние между краем бортика и водой. Я, пожалуй, решился бы шагнуть с тумбочки или как-то на корточках соскочить — но... я уже сложил руки лодочкой. Теперь прыгнуть солдатиком — значило показать, что я струсил. Я наклонился, чтобы хоть ненамного приблизиться к воде. Тумбочка была скошенная и мокрая, я боялся, что соскользну. Где-то там, далеко-далеко внизу, змеились светлые ленты. Мне что-то кричали. "Сейчас-сейчас... — шептал я про себя, беззвучно. — Сейчас..."

Вдруг скользкая тумбочка отскочила, я судорожно взбрыкнул в пустоте, вскрикнул, каркнул, мазнули перед глазами блестящие стены — и я бултыхнулся, больно ударившись о воду боком и животом, хлебнул хлорки, вынырнул... Все смеялись.

Когда я застопорил очередь, атлет на минуту отвлёкся от своего телефона, играючи подхватил меня и швырнул.

Потом, в раздевалке, меня не пускали сушиться, отталкивали, не хотели стоять со мной рядом. Гоняли по полу мои треники, связанные каким-то особенно нерасторжимым морским узлом: если помнишь, тогда был мороз, ты заставляла меня *поддевать* под брюки ещё и вторые штаны, что было уже за пределом позора. Теперь эти мои треники, вымазанные в пыли, запинали под лавку. Именно там, в раздевалке, я принял решение: никогда... Никогда. Моя решимость была совершенно незыблемой, каменной: это была решимость Гарсия. Я лишь усмехнулся, когда плечистый вошёл в раздевалку и наорал на меня же, чего я расселся. Бесстрастно я подобрал с пола треники, сплошь покрытые пылью, как шерстью. Голову так и не высушил: пускай будет хуже — прекрасно. Чем хуже, тем лучше.

На улице я нарочно замедлял шаг. Терпел холод. Гонял ледышку. Почему-то запомнилось, что к подошве прилип обрывок какой-то газеты и с этим примёрзшим клочком я дошлёпал до дома.

Когда ты открыла дверь и увидела меня окоченевшего, сизого — конечно, ты ахнула. Сдёрнула шапку со смёрзшихся, слипшихся, до сих пор мокрых волос — и рванула меня за волосы вниз!

— Ты о-бал-дел?! Ты с ума сошёл?! Ты сумасшедший?! — и, размахнувшись, ударила меня мокрой, в мелких льдинках, шапкой. — Ты! Су! Ма! Су! — лупила меня по плечу, по щеке. — Сейчас же в ванную! Дрянь! Дрянь паршивая! Где ты был столько времени?! Почему ты не высушил голову, дрянь?! Издеваешься?! Ты издеваешься? Издеваешься надо мной, издеваешься, сволочь такая?!.

Отпарив ноги в тазу с невыносимо горячей водой (ты подливала ещё кипяток), я заснул, но спал плохо. Я прыгал в воду, вместо упругой воды проваливался в какую-то ватную… даже не ватную, а бесплотную и томящую именно этой бесплотностью пустоту, вздрагивал и просыпался.

Качался размытый блик, почему-то один-единственный на весь бассейн, блик был скользким, как будто из пластика или из тонкой-претонкой жести, я от него отталкивался и прыгал вперёд — а живой блик подныривал баттерфляем и вновь оказывался впереди, я снова с силой отталкивался — и так, равномерно, длинными зависающими прыжками, бежал по воде, пока нога не соскользнула с кровати — и я проснулся с готовым решением.

Была ночь. Я прокрался к компьютеру. Повернул экран боком, чтобы, даже если бы ты среди ночи проснулась и вышла в коридор, не заметила под моей дверью щёлочку света. Левую руку с компьютерной мышью обмотал толстой кофтой, чтобы не слышно было, как щёлкает клавиша. Мне нравились два диагноза, я не знал, на котором остановиться.

Чрезвычайно заманчиво звучал "синдром Аспергера", мужественно и звонко. У "аспергеров" был нарушен контакт с внешним миром, в точности как у меня. Мы, аспергеры, двигались неуклюже, для нас затруднительны были физическая активность и спорт. За это мы подвергались насмешкам и остракизму. Всё правильно. "Типичные" (снисходительная ухмылка) — типичные дети даже не подозревали, до какой степени ярок и сложен наш внутренний мир, среди нас в тысячи раз чаще рождаются гении… Всё подходило!..

…Если бы не аутизм. Аутизм обладал сокрушительным козырем. Аутичный ребёнок казался отрешённым, не реагировал на внешний мир и — внимание! — скользил "невидящим взглядом по окружающим его предметам и лицам". Этот "невидящий взгляд" меня покорил.

В шестом часу где-то в соседнем подъезде защёлкало (у нас были верёвочные выключатели, этот птичий звук был слышен, кажется, через все этажи), загудела вода в кране, хлопнула дверь. Я выключил компьютер, прокрался в постель, но раздеваться не стал, а залез под одеяло прямо в одежде. Встал на четвереньки — на локти и на колени. Уткнулся в подушку лбом. И заснул.

— Эт-то ещё что такое?! Вставай. Я сказала, вставай! Встал сейчас же!

А ну, посмотри на меня. Ты что ваньку валяешь? По-смо-три-на-ме-ня! Поверни сюда голову!

Ты совсем обалдел?! Я что, долго тут буду прыгать?!.

Ты не слышишь меня?

Покажи мне глаза… Что с тобой?

Боже мой, что с тобой?!.

Я чувствовал себя подонком — и ликовал. В эту минуту я собственной волей менял всю свою жизнь.

В поликлинике мне задавали вопросы, а я смотрел невидящим взглядом и не отвечал. Меня вывели из кабинета, оставили подождать в коридоре. Я видел в щёлочку что-то блестящее и, торжествуя, слышал нечто похожее на "аутизм". Тебя убеждали отправить меня на месяц в больницу, ты отказывалась наотрез. Сумасшедший дом был бы занятнейшим приключением — но и моя комната меня устраивала, если только не идти утром в школу, в постылый бассейн, во двор, больше не видеть людей, не разговаривать с ними: молчать.

Я прыгаю с головокружительной высоты — разумеется, ласточкой, только ласточкой, — и, описав идеальную траекторию, под углом девяносто градусов вхожу в воду. В бассейне я никогда не решался открыть глаза под водой, а здесь — ясно вижу тонущего человека: несколько могучих движений, и я, как дельфин, подхватываю его и выталкиваю на поверхность!

Я меньше ростом. Я сильный, ловкий, упругий. Я акробат. Я умею стрелять. Исключительно метко. Фехтую. Умею драться. Не просто драться, а джиу-джитсу, как молния. Мои глаза мечут молнии. Я Гарсия.

Я перестал ходить в школу. Дремал, просыпался обычно в сумерках. Быстро толстел.

Не вставая с постели, включал компьютер. Читал про Гарсия: танцоров Гарсия, боксёров Гарсия, певцов, футболистов, писателей, королей, голливудских актёров… Жаль, я не знал испанского языка. И не знаю. Мог бы выучить за одиннадцать лет — а теперь уже что. Теперь поздно.

А как сладко было бы говорить на испанском… Ещё лучше — не на современном, а на испанском времён "Дон-Кихота", времён Золотого века… Как ты знаешь, это не просто красивое выражение, это термин — язык шестнадцатого и семнадцатого веков, когда правил Карл Пятый, король двадцати семи королевств, когда Испания была величайшей империей, когда из Южной Америки текло золото… Кстати, в Южной Америке самая употребительная фамилия… ну, какая, какая? Одиннадцать миллионов Гарсия. Целая армия!

…Или орден. Да, лучше орден. Самый могущественный в мире тайный орден *гарсонов*.

Я подтягивал под живот колени, оказывался в своей позе — на получетвереньках, вжимался лицом, лбом в подушку, зажмуривался — и в мерцающей черноте субмарины и гидростаты спускались на дно глубочайшей морской впадины (Марианской), где под одиннадцатитысячеметровой толщей сверкал подводный дворец из сапфирового стекла… Гранды, герцоги, маршалы и президенты рассаживались за столом, длинным, как взлётно-посадочная полоса, и только трон во главе стола пустовал: единственное, что доподлинно знали про главу ордена, — он, как и все его преданные сподвижники и соратники, носил фамилию Гарсия…

Видишь, меня тянуло к воде: океанские недра, потом исторические корабли, броненосцы, дредноуты… Частью нашего городского пейзажа — даже на ПВЗЩА, на 2-й Аккумуляторной улице — были чайки, они романтично качались в воздушных потоках, копались в помойках — но то были речные чайки, от нас до ближайшего моря (Балтийского) триста семьдесят километров, вживую я моря не видел… И не увижу.

Сутками и неделями я читал про Цусиму и Моонзунд, про 1908 год, когда русские корабли (два крейсера, "Адмирал Макаров" и "Богатырь", и два линкора, "Слава" и флагманский "Цесаревич") первыми пришли на помощь Мессине после одного из сильнейших землетрясений в истории человечества. Меня искренне удивляло, почему такой романтический эпизод, ничем не хуже "Титаника", оставался сравнительно малоизвестным.

Черноглазая итальянская девочка-сирота, спасённая из-под завалов. Бывший маркиз, в мгновение ока превратившийся в нищего. Мафиози, бежавшие из тюрьмы: тюрьма рухнула, как и все прочие здания, и те бандиты, которые уцелели, первым делом отправились в банк — то есть на место бывшего банка — и, натурально, отрыли сейф с двадцатью миллионами лир: дальше имела место погоня русского офицера за этим сейфом и перестрелка среди руин; всё это зафиксировано в документах. Или такая картина: жилой дом, три стены устояли, четвёртая развалилась; внутренность дома просматривается насквозь, и видно, как наверху мечется сицилианка: "Она не может спуститься, так как лестницы нет; ломая руки, зовет на помощь. Все стены в больших трещинах, еле держатся, того жди осядут... Ко мне подбегают матросы и просят разрешения влезть на верхний этаж этого дома и спасти женщину. Они ловко взбираются..."

Ты выдёргивала из розетки шнур, однажды шарахнула клавиатуру об пол. Я отворачивался лицом к стене. Ты силком сажала меня, кричала, трясла меня и даже била немного. Я смотрел мимо тебя невидящим взглядом.

Ты плакала у себя в комнате. Это было ужасно. Мне хотелось броситься к тебе, во всём признаться, и будь что будет, но... снова в бассейн? в школу? К людям?..

За все прожитые мною годы такие чёрные, неподъёмные горы вины лежали на моей совести — за мои изуверские опоздания, злонамеренно порванную или испачканную одежду (заработанную твоим тяжким трудом, твоими исколотыми руками), за твою погибшую молодость, обманутые надежды, разрушенное здоровье, — я опустился на самое дно, глубже, чем Марианская впадина с непроглядной одиннадцатитысячеметровой толщей над головой... разве мог я что-нибудь изменить?

Так уж хотя бы какое-то жалкое утешение, ещё час-другой забытья... Цусима, Мессина... ещё день покоя... неделя... год...

Через год я устроил поджог. Не считая той детской истории — первый.

Зимой в моей комнате было зябко, я спал в байковой рубашке, в штанах и в кофте, лень было переодеваться. Проснулся после полуночи и подумал, что вот снова мороз и темно, как в тот вечер, когда я принял решение. Удивительно: я промолчал целый год. Как это у меня получилось?

Я поднялся с кровати и, не включая свет, подошёл к окну. Днём я иногда развлекался тем, что, укрывшись за занавеской, следил за соседями: они проходили туда и сюда, изредка останавливались и разговаривали друг с другом; женщины гуляли с колясками; раздражённо, резко качали эти коляски, когда дети плакали; несли, кособочась, пудовые сумки; срывали бельё с бечёвок, натянутых между Т-образными трубами; весной появлялись старухи, они недвижно сидели перед подъездами; мои ровесники играли в карты и в банки, старшие пили пиво, пристроившись на трубе теплотрассы…

Сейчас всё было черно. В доме стояла полная тишина, только какой-то стук доносился с улицы. Ритмичный стук. Я не мог понять, что это. Чуть приоткрыл окно. Рука сразу же заледенела, зато я понял, что стук — это музыка (барабан или, может быть, бас-гитара) из общежития.

Про медицинское общежитие у мальчишек ходили легенды: считалось, что это притон немыслимого разврата. Летом кусты чубушника, росшие у меня за окном, покрывались листвой, общежитие пропадало из виду, да и студентки разъезжались по деревням на каникулы. Зато зимой каждый день медички пробегали по нашему двору в своих пальтишках, шубейках, шапчонках; стайками или поодиночке, иногда с кавалерами; с визгом прокатывались по ледяной дорожке; и даже сейчас, поздней ночью, в просвете между соседним домом и дровяными сараями горело несколько окон… что творилось за окнами? Они светились неярко — и музыка, почти неразличимая, только биение, бум, бум, бум,

бум, ритмичные всплески, толчки: и с каждым ударом сердце сжималось, мне было трудно дышать…

Там был праздник. Там было много комнат. Там звонко смеялись, там все любили и знали друг друга, болтали, чокались, все были заодно — и ждали только меня.

Да, меня принимали как своего — в тайное братство, только для посвящённых, в рыцарский орден. Опасности и добычу делили на всех.

Мои грёзы переливались и размывались лучами: за горящими в темноте окнами всего было в избытке — свободы и приключений. Там всегда было лето. Девушки, тоже, конечно, сказочные, с накрашенными глазами, в лентах и драгоценных манящих нарядах; светилась тёплая кожа, скользила упругая ткань (атлас, шёлк), и всё во мне тянулось туда будто скользкими нитками, волоконцами… Мне было жарко и тесно внутри моей комнаты, внутри шершавой одежды, тесно внутри груди, рёбер, кожи, я казался себе слишком вялым и тёплым, разбухшим, я не знал, что мне сделать с собой, с этим мучительным млением, как избавиться от себя, как мне выбраться, вывернуться из себя самого: разрезать себя, расцарапать, как вытащить, выдернуть из себя эти болезненные напряжённые струнки…

Мне вспомнилось, как ты щёлкала зажигалкой и обжигала торчавшие нити, они мгновенно сворачивались, оплавлялись. Я выдвинул ящик со всякой всячиной: фломастерами, значками, обрезками лент… Также имелись ножницы, твоя старая лупа для вышивания, пузырёк с остатками йода, спички.

Я чиркнул спичкой. Поднёс её к подоконнику.

На подоконнике выскочил тёмный язычок сажи, поползла капля краски. Спичка быстро потухла. То место, которое я поджигал, осталось чуть тёплым, чуть липким. Нет, этот спичечный огонёк был слишком слабеньким, чтобы расплавить мою мучительную тесноту… И меня осенило. Я вынул из ящика твою нагрудную лупу для шитья — и зажёг новую спичку, глядя на неё сквозь линзу.

Огонь развернулся, растёкся широкой лентой, как лава. Теперь в нём была настоящая мощь. Он разрастался и раскрывался, как флаг, как дворец, как империя, как Арагон и Кастилия, Каталония и Карфаген. В нём трубило и барабанило торжество: всё острое и мучительное расплавлялось в огне, он был моей властью, моим могуществом, моим гимном. Росли цитадели и площади, полные чёрными толпами, метались факелы. Вспыхивали фейерверки. Ревели землетрясения. Разверзались огненные пещеры…

Мне обожгло пальцы — и я понял, что мне больше не жарко, не тесно, я снова могу дышать.

Теперь следовало подумать о том, как уничтожить следы.

Прежде всего, нужно было проветрить. Надев на себя всю тёплую одежду, которая нашлась в комнате, и закутавшись в одеяло, я настежь открыл окно. Воздух был ледяной. Стараясь не слишком дышать, я попробовал оттереть бумажным комком (по-морскому "жвачкой") жёлто-коричневые пятна на подоконнике: пятна стали немного светлее, но не исчезли. Поразмыслив, я взял пузырёк из-под йода, поплевал туда, и поверх жёлтых пятен накапал остатки йода. Положил рядом пустой пузырёк. Якобы уронил, пролил йод. Что мазал?.. какую ссадину?.. завтра соображу.

За хлопотами я забыл про общежитие и про музыку. Когда запах выветрился, за окнами было тихо, черно.

Пожалуй, больше мне за одиннадцать лет нечего вспомнить. Однажды, нагнувшись за тапком, я понял, что наклоняться мешает живот. По пути в туалет остановился из-за одышки.

В твоём взгляде я иногда ловил… нечто очень похожее на уважение. Уважительную опаску. Как будто твой сын превратился в какое-то неведомое существо. Кстати, я подозреваю, что ты не до конца поверила в моё внезапное сумасшествие. Мне кажется, ты кричала и плакала, чтобы меня испытать, — и со временем, когда убедилась в том, что я последователен в своём решении, — ты просто приняла новые правила.

Это так?..

…Да, пока не забыл! (Я последнее время всё забываю.) Большое тебе спасибо за штаны, мне в них очень удобно. Я специально искал в интернете, зачем нужен такой миниатюрный кармашек, предлагались разные версии: для монет, для перочинного ножика, для презервативов, для золотых самородков... У меня ничего этого не было, но кармашек в результате очень пригодился.

В общем, спасибо. Вельветовые рубчики стёрлись, но штаны до сих пор очень хорошие, мягкие. И такого красивого, правильного геральдического цвета, гёльз.

Последние месяцы, которые мы провели вместе с тобой, остались у меня в памяти как самое лучшее, самое мирное время. Наши ежевечерние процедуры... Вообще, скрупулёзность была тебе совершенно не свойственна: раньше, когда приходилось следить за временем и регулярно кормить меня, мерить мне сахар, давление — да и просто ходить в магазин, мыть посуду, — ты постоянно срывалась, взрывалась... Но в последние месяцы стихла, со странной нежностью мыла и насухо вытирала мою ступню, между пальцев и пальчик за пальчиком, стригла ногти... как будто мне снова три года, пять лет.

После ванной мы перебирались к тебе на широкий диван, ложились рядом, смотрели что-нибудь по телевизору, неважно что. От тебя пахло кремом и старостью. И алкоголем. Ты не любила долго смотреть одно и то же, стреляла пультом, переключала каналы. На сине-чёрном экране текла светящаяся дорожка, потом распалась на блики. Показывали концерт в честь кого-то погибшего… из какой-то рок-группы: "Король и шут"?.. Queen?.. Беда с памятью. В тёмном зале — или это был стадион? — мерцали тысячи зажигалок. Камера быстро скользила над головами, над поднятыми руками, тысячи огоньков сливались в светящуюся золотую дорогу. Прядь волос упала тебе на лицо. Не отрывая взгляда от телевизора, ты её убрала.

Похороны помню смутно. Помню, гроб перекатывали по каким-то крутящимся трубкам, и одна трубка плохо крутилась и застревала.

Запомнились два небольших эпизода, не имевшие к похоронам непосредственного отношения. Во-первых, в этот день впервые за долгое время я вышел (точнее, конечно, меня вывели, почти вытащили) из подъезда: еле переставляя ноги, я одолел ступеньки, колени у меня подогнулись, я сел (меня водрузили) на лавочку. От свежего воздуха поплыла голова. Вот тоже загадка: ты регулярно проветривала мою комнату, густые кусты росли сразу же за окном, ветки скреблись в решётку (после того ограбления ты всё-таки установила решётки), — но стоило сделать буквально два шага от подъезда — и на улице воздух оказался совершенно другим. От него защипало в носу, как от хлорированной воды, голова закружилась. Ещё: земля между подъездом и лавочкой была не похожа на пол в квартире — она была мягкой. Забытое ощущение.

Поодаль, метрах в пятнадцати от меня, на трубе теплотрассы сидели два "мальца" и девушка, пили пиво, передавая друг другу очень большую — наверное, двух- или двух с половиной литровую пластиковую бутылку. Я и раньше, бывало, подсматривал с безопасного расстояния, из квартиры, скрывшись за фикусом, — но сейчас между ними и мной не было занавески, я был так же видим для них, как они для меня. От этого возникало чувство незащищённости и наготы, такое же острое, как вкус воздуха.

На заднем сиденье я не мог уместиться. Посовещавшись, меня кое-как втиснули рядом с шофёром "Ритуал-сервиса". В детстве я несколько раз ездил в машине, но никогда — на переднем сиденье. Шофёр был чем-то недоволен и гнал, тормозил грубо — эта быстрая езда и резкие приключенческие повороты мне нравились. По крыше нашей машины что-то стучало, и чем быстрее водитель гнал, тем чаще барабанило, как будто шёл дождь, — хотя за стеклом стоял светлый, солнечный день. Мы никак не могли обогнать фуру, которая, громыхая, неслась перед нами. Несколько раз промелькнул синий дым: я не понимал, откуда он может браться. Мы проскочили сквозь целую дымовую завесу, протянувшуюся через шоссе, — и я заметил рядом с дорогой в траве чёрные пятна; края этих пятен дымились, из-за солнца огонь почти не был виден — лишь кое-где выскакивали светло-оранжевые язычки. Жгли траву. Не знаю, зачем это делалось, — выглядело тревожно: совсем недалеко от чёрных проплешин уже начинались сараи, избы…

Вдруг навстречу нам полетели густые снежинки. Потом поредели. Одна снежинка прилипла к стеклу. Это было птичье перо. Я догадался, что грузовик, ехавший перед нами, сбил птицу: может быть, голубя или чайку. А когда мы приехали и меня извлекли из машины, я увидел, что по крыше стучала привязанная к антенне георгиевская ленточка.

Вот мои самые яркие воспоминания о дне твоих похорон. Стекловата торчит из-под оторванного рубероида: подогнув под себя ногу, сидит девушка, и напротив, верхом на трубе, два мальца. И второе: снег ясным солнечным днём.

Ни в какой Питер, видишь, никто меня не забрал. Когда тебя увозила скорая, ты взяла мои руки в свои, холодные и какие-то очень шершавые, толстокожие, и уговаривала (я по привычке смотрел невидящим взглядом, но внимательно слушал) — убедительно говорила, что тётя Розита поселит меня в новой комнате, мне будет там хорошо, я должен вести себя хорошо и т.д.

После похорон мне дали две бумаги, я их с удовольствием подписал (давно отработал витиеватую королевскую подпись, но как-то не представлялось случая употребить её в дело) — и меня привезли сюда, в психиатрическую больницу.

15 декабря 1908 года в пятом часу утра со спокойного, совершенно гладкого моря пришла волна и встряхнула все корабли. Вскоре стало известно про землетрясение. Подняв пары, "Цесаревич" вышел из Сиракузской бухты и лёг на север. Двум ротам были розданы сапоги и шанцевый инструмент: лопаты малые и большие, заступы, топоры, ломы, кирки, верёвки, свечные фонари, фляги с водой, мешки, носилки и прочее. Было приказано переодеться в рабочее платье. Погода испортилась: резко похолодало, налетал ветер с дождём.

Через четыре часа открылась набережная Мессины. В глубине города поднимались дымы. При наблюдении с моря нельзя было определить меру бедствия. Почти все фасады остались целы, лишь посередине набережной виднелась щербина, как выбитый зуб. В бинокль кое-где можно было заметить почерневшую стену, сорванную крышу или зияющую дыру вместо окна.

На волнах колыхались перевёрнутые разбитые лодки, ящики, бочки, какая-то пакля, корабль шёл самым малым ходом, раздвигая и подминая обломки.

Обычно, когда корабль приближался к большому городу, с берега доносилось множество звуков: свистки, крики лодочников, звонки, рокот порта, шум жизни. Мессина встречала нас тишиной. Кучки людей странно жались у берега.

Когда мы высадились, разбились на группы и двинулись в город, то обнаружили: даже у тех домов, которые с набережной казались целыми, сохранились только фасады и внешние стены, внутри же полы и потолки провалились насквозь, — а в глубине не осталось буквально ни одного невредимого дома: улицы были загромождены и засыпаны горами мусора, кирпичей, балок, сломанных и расщеплённых стропил… Эта картина — в каком-то роде даже величественная — поражала своей неподвижностью. Море развалин застыло почти как на фотографии — только ветер трепал какие-то рваные лоскуты и кое-где руины дымились…

Мы обмерли, когда под ногами дрогнуло и утробно загрохотало, будто далеко в недрах поехала гружённая валунами подвода. Послышался шорох, песок посыпался, как из мешка, с шумом упал большой кусок штукатурки. Какой-то бродяга, придерживая свои лохмотья, заковылял прочь.

Ясно было, что нужно откапывать погребённых, — иначе зачем эти лопаты, кирки и топоры? — но мы не имели понятия, где начинать. Поскальзываясь на мокрых осколках, к нам подступила женщина в платке, босая, с расцарапанными в кровь ногами и, хватая мичмана и матросов за рукава, принялась о чём-то нас умолять. Видно, обрадовавшись, что появилась определённая цель, мичман последовал за сицилианкой. Вцепившись в балку, косо торчавшую из-под земли, женщина стала показывать, что копать нужно здесь. Мы принялись что было мочи заступами разбивать и крошить кирпичи, отваливать мусор лопатами. Через пятнадцать или двадцать минут обозначился угол железной кровати. Больше не решаясь орудовать кирками и лопатами, мы начали пальцами отковыривать камни. Из-под крошева показались голубовато-серые одеревеневшие ноги. Разобрав остатки щебёнки, увидели, что под мёртвым мужчиной лежит полутора- или двухгодовалый младенец, тоже окоченелый. Женщина всё не отвязывалась от молодого мичмана и настаивала на чём-то. Единственное, что для неё могли сделать, — прикрыли тела обрывками простыни.

Как ни жестоко на первый сторонний взгляд прозвучит, ты очень правильно поступила, на время оставив меня одного. Теперь я могу подготовиться. Не отвлекаясь, не торопясь. Психиатрическая больница — вполне подходящее место. Здесь в целом спокойно. На окнах решётки, как дома. Питание регулярное. Было тяжеловато привыкнуть к запаху, но если уткнуться в подушку лицом, то внешние запахи чувствуются слабее. Не нужно переодеваться, не нужно вставать. В сохранных палатах строже: если в светлое время суток кто-то, по мнению Ирмы Ивановны или Дживана Грантовича, "залёживается" — поднимают насильно и выгоняют гулять в коридор. А у нас — спи хоть с утра до ночи, или стой в кровати на четвереньках, или лежи размышляй… Думаю, ты должна радоваться за меня.

Единственное, что всерьёз досаждает, — уколы. Бывает, после уколов целый день сплю, сны снятся какие-то ноздреватые, и просыпаюсь не полностью: в голове вата, и во всём теле словно бы онемение, тупость. Бывает и наоборот: кожа делается сухой и неприятно чувствительной, как при высокой температуре, очень сильное беспокойство, тревога — и нестерпимо тянет заговорить. Это всё от уколов. Таблетки пью, когда дежурит Ирма Ивановна. Дживан Грантович невнимателен или ленится проверять: мне удаётся оставить таблетку во рту, а потом незаметно выплюнуть в туалете. Или сначала спрячу в карман, а потом уже выброшу в унитаз. Но вот с уколами ничего не поделаешь: когда нет сил подниматься, Дживан Грантович колет меня прямо здесь. Знаешь, какая мысль меня беспокоит: если эти лекарства должны превращать сумасшедших в нормальных людей — вдруг они действуют и наоборот?..

Про физическое здоровье ничего хорошего доложить не могу. Измотала одышка: каждые пять шагов останавливаюсь, не могу раздышаться. Часто теряю сознание: здесь говорят "гипанул", "гиповать", от тебя я не слышал такого слова. Практически перестал ощущать ступни. Иногда ноги мертвеют по щиколотку, иногда до колена: как будто я погружаюсь в воду… нет, скорее даже не в воду, а в тянущую пустоту.

Я устал. Мне надоело таскать на себе эту рыхлую тушу, мне хочется её сбросить, вынырнуть из неё, чтобы внутри обнаружился лёгкий, отлично сложённый, гибкий и мускулистый…

Я упираюсь в подушку лбом и щекой, под веками смыкаются и разлепляются пятна, как на поверхности плавательного бассейна, а на границах сознания, одновременно в нескольких местах всплывают рельефные и цветные картины, — и вместо этого бесконечного мусора, вместо этой трухи, которая при малейшем давлении подаётся и расползается, — я чувствую, как тяжёлые, выпуклые, точно жидкое золото, капли сливаются в подлинную реальность, где вместо зевотного люминесцентного света — заветное солнце, а вместо разбавленного молока — сплошная ворсистая тьма; вместо пшённой или перловой каши — амонтильядо, вместо застиранных простыней и липкой ленты от мух — орден Золотого руна на муаровой ленте; вместо бессмысленного кругового движения — взлёты, прорывы, удары, падения в пропасти, в бездны и в недра, в Ородруин, в Марианскую впадину, с восьмиметрового "Цесаревича", с восьмикилометрового Эвереста, с восьмитысячекилометрового метеорита, — не эта труха, не эта дряблая вата, а настоящие катастрофы, глобальные, мы с тобой в эпицентре, мы знаем: Мессина — это отнюдь не стихийное бедствие, а очередное ужасное преступление наших врагов, взрыв сейсмического заряда, который ровно на полгода раньше, в июне 1908, прошёл испытания в тунгусской тайге...

Я ухожу от погони на катере. Меня преследует субмарина, ощетинившаяся пирокластическими торпедами. Стрелка дрожит на отметке кипения, котлы на пределе, с минуты на минуту лопнут, наш катер и вражеская подводная лодка несутся почти с одинаковой быстротой, но всё же мы постепенно увеличиваем разрыв...

Видя, что мы вот-вот проскользнём между Сциллой и Харибдой в Тирренское море, враги выпускают сейсмоторпеду. Семидесятимегатонный (в тротиловом эквиваленте) взрыв сотрясает Сицилию и Калабрию. Двести тысяч погибших!.. Нет, если честно, погибшие не вызывают сильных переживаний, они безымянны,— гораздо важнее то, что происходит со мной самим. Цунами выносит меня в Тирренское море, и я, оглушённый, израненный, борюсь с волнами: мне нужно проплыть пять, шесть, семь километров — впереди отвесные скалы, и море картинно выбрасывает столбы пены... Я должен спасти — не себя, в первую очередь не себя! — я должен спасти корону инков, четыреста лет назад добытую конкистадорами... Эта корона — на вид невзрачный шнурок с бахромой: красные шерстяные колбаски, точно с моего детского покрывала... Ты ведь помнишь, как я устроил поджог? Помнишь белый дым, запутавшийся в бахроме?..

Когда тебя увозили, а ты, задерживая врачей, сжимала мою руку и говорила про тётю Розиту и Ленинград, я внимательно слушал, уткнувшись невидящим взглядом в пол, в хлопья пыли у плинтуса — и приметил в пыли зажигалку.

Оставшись один, я её подобрал и засунул вот в этот кармашек моих штанов цвета гёльз, она влезла тютелька в тютельку... И напрочь забыл.

Однажды, когда я стоял на четвереньках (здесь, в надзорной палате), мне стало неловко — вернее, я осознал, что мне постоянно что-то мешает, упирается мне в ногу, в бедро... Ах, как я был рад найти — словно весточку от тебя.

Получается, у меня в матрасе спрятаны целых два сокровища, две пирокластические торпеды: твоя зажигалка — и шпилька.

В тот день, когда меня привезли, был врачебный обход. Я лежал, нехорошо себя чувствовал после укола. В палату вошли Тамара Михайловна, Ирма Ивановна и за ними кто-то из санитаров. Или третьим был Дживан Грантович. Тамара Михайловна что-то сказала, не помню, что именно, но мне почудилось, что голос, тембр голоса похож на твой. И причёска напоминала твою, почти такие же чёрные и тяжёлые волосы. Тамара Михайловна наклонилась ко мне и, продолжая что-то говорить Ирме Ивановне, взяла меня за руку, чтобы посчитать пульс. Пальцы у неё были тёплые, крепкие. Я не смотрел на неё, но боковым зрением видел, как она поправляет прядь. Меня мельком, легко, почти невесомо что-то задело, и через несколько дней я обнаружил в своей постели заколку! Точно такую же, как у тебя — может быть, чуть поменьше, — такие же волнистые усики с шишечками на концах.

И розетка здесь есть. Когда шёл ремонт, нам открыли уборную медперсонала. Там даже можно было посмотреться в зеркало: его, правда, быстро убрали, но после ремонта снова повесили. Я сразу же обратил внимание на розетку под зеркалом. Из двух этих чёрных отверстий потягивал сквознячок. Ещё не до конца понимая природу этого сквозняка, я ощущал, как сильней и сильней тянет из каждой прорехи, из прощелины между потолком и стеной, из разреза обоев, из чёрного зева раковины — я чуял как бы лазейки, бреши… Даже когда я мысленно переносился на борт "Цесаревича", мой взгляд притягивали отдраенные до блеска латунные прорези в палубе, так называемые шпигаты, меня как будто засасывало в эти прорези, располосовывало на ленты, на струны, мне было трудно дышать, жарко и тесно в одежде, шершаво, мучительно, невыносимо, я перевернулся со скрипом, просунул руку во влажноватое ватное волокно и вытащил зажигалку.

Придерживаясь за край кровати, я перевалился, опустил ноги на пол. Встал. Стараясь не задевать соседние койки, протиснулся к подоконнику. Вслушался. Все дышали спокойно. Я поднёс зажигалку к нижнему ребру подоконника, щёлкнул.

Пламени не было. То, что выцедила из себя зажигалка, я не смог бы назвать огненным язычком — это была бисеринка огня, икринка. Как странно, подумал я, зажигалка казалась такой увесистой, и в ней что-то плескалось… Но едва эта бусинка прикоснулась к ребру подоконника, я ощутил упоительный запах… Дома под краской был бетон — а здесь дерево. В отличие от бетона, дерево пахло… так в детстве пахли пистоны, дым от пистонов, когда ты подарила мне пистолет, я страшно гордился, но во дворе "мальцы" сломали пистолет в первый же день… На краске вылупился собственный, автономный огненный пузырёк. Подоконник совсем чуть-чуть, но горел!

Внутренняя теснота исчезала, освобождала меня. Колёсико зажигалки нагрелось, стало обжигать палец, и мне пришлось отпустить рычажок. Капля огня слабо пыхнула и сдулась, на её месте чуть замерцала багровая точка — точнее, багровый штришок переполз и погас. Я потрогал лунку на подоконнике — она была тёплой.

Оглушительно заскрипели пружины, и Виля сел на своей кровати.

Я оцепенел. Было известно, что в отсутствие зрения прочие чувства у Вили обострены, он различал людей безошибочно: может быть, по дыханию или по запаху…

— Гася? — вполголоса спросил Виля. Чуть в нос: — Гася, ты?

Я понимал: стоило мне шелохнуться, провезти ногой по полу, взяться за спинку кровати, лечь... не только Виля, любой узнал бы меня: я был самым тяжёлым в палате... во всём отделении... может, во всей больнице...

— Гася?

— Да.

Я не сразу понял, чтó произошло. Звук пришёл как будто извне, я не узнал собственного голоса. Я молчал одиннадцать с половиной лет.

В полутьме я увидел, как Виля медленно улыбнулся своим длинным ртом — и улёгся.

Проснувшись наутро, я долго не открывал глаз: был уверен, что все уже знают, врачи, санитары, все поголовно. Тётя Шура заметила копоть на подоконнике и принялась орать на нас матом и звать врачей.

Я услышал из коридора твой голос... прости, прости! почему я так говорю?! Голос, отчасти похожий на твой: к нам вошли Тамара Михайловна с Ирмой Ивановной. Ирма Ивановна стала расспрашивать всех, в первую очередь Вилю, чья койка стояла прямо у подоконника, — и, к неимоверному моему изумлению, Виля ответил, что ночью спал, ничего не слыхал.

...У меня появился товарищ, сообщник! У меня была тайна. Не выдуманная, а самая что ни на есть полновесная тайна — и эту тайну кто-то со мной разделял! Кто-то — впервые в жизни — был на моей стороне. Потрясение и восторг.

Я стал приглядываться к моим соузникам, чтобы ненароком не пропустить новое подтверждение: будто меня забросили с тайной миссией — скажем, в секретную лабораторию, или в тюрьму, или в подводный дворец, или на корабль "Цесаревич", где, кроме меня, ещё несколько человек принадлежали к тайному ордену или братству, но мне до поры неизвестно было, кто именно...

Зажигалку я втиснул поглубже в матрас.

Разумеется, в отделении только и говорили что о поджоге. Денис твердил, что виноват его враг Костя Суслов. Я не знал, радоваться ли, что подозрения падают не на меня, — или тревожиться за Костю. Моё отношение к нему было двойственным: он был мне не очень приятен, но иногда вслух описывал те картины, которые мерещились мне самому, — взлёт, огонь, солнечное отражение на волнах... Всё это зудело и не давало покоя, пока наконец я не сообразил, кого он мне так мучительно напоминает: не поверишь — наш Костя Суслов как две капли воды похож на Альфонсо Тринадцатого! Точная копия: длинный, с таким же вытянутым лицом, лопоухий, губастый... А я-то не мог вспомнить, где видел это лицо, — конечно же, на фотографиях в интернете!

Не кто иной, как Альфонсо Тринадцатый, правил Испанией в 1908 году, во время Мессинского землетрясения, и его возраст примерно равнялся нынешнему моему…

Согласись, всё это не могло быть простым совпадением. Внешность Альфонсо Тринадцатого мне и раньше казалась неподходящей. Она меня оскорбляла. Испанский король не имел права быть таким губошлёпом… Скажу прямо, без государственной дипломатии, — таким уродом.

Теперь, имея перед собой эту пародию, двойника, разболтанную болтливую марионетку, — я догадывался: не только Костя, но и его прототип, сам Альфонсо Тринадцатый, был точно такой же фальшивкой, карикатурой. В это же время, в 1908 году, — где-то существовал настоящий король, король-солнце… Внутренний, сокровенный, подлинный я.

Враги строили козни, чинили препоны, отрезали пути в обещанную Испанию, к моим истосковавшимся подданным. Враги охотились на меня. Я скрывался. Я, прекрасный и гордый, отважный и благородный…

Прости, здесь я вынужден остановиться. Мне неловко говорить о себе самом в должном тоне. Помимо прочих достоинств (бесчисленных), мне присуща истинно королевская скромность. А значит, мне безотлагательно нужен историограф.

Я перебираю кандидатуры. И, ты знаешь, склоняюсь к Амину Шамилову: он умеет держаться с достоинством, что совершенно необходимо при королевском дворе. И ещё: я заметил, что он здраво мыслит, его интерес верно направлен — в первый же день, когда Амин появился в нашей палате, он очень внимательно изучал отметину на подоконнике.

Поэтому, когда я возвращался в сознание после приступа и сквозь дремоту донеслось, что кто-то поджигал твою дверь... то есть, прости, прости, дверь Тамары Михайловны, — я припомнил, как неделю назад Амин разглядывал оставленные мною подпалины. Мне подумалось, что новый поджог вполне мог оказаться его затеей.

Аборигены нашего отделения звали Амина "Минька". Мне сразу понравилось это имя. Оно подошло бы матросу... может быть, унтеру — квартирмейстеру, боцманмату... Вот мы с Минькой встречаемся на "Цесаревиче": в первое время он не замечает меня... или даже настроен враждебно, хочет меня ударить, унизить... Потом ему открывается моё истинное лицо. Он всегда будет вспоминать эту встречу, хотя мы провели вместе всего несколько дней... даже, лучше, один-единственный день — это был лучший день в его жизни, вершина всей Минькиной биографии...

Но послушай, зачем же он поджигал твою дверь?

Когда его положили в нашу палату, Минька рассматривал копоть на подоконнике — и вот продолжил, ответил мне... подал знак. Указал направление...

После приступа я дремлю — а то вроде бы просыпаюсь, трогаю рычажок зажигалки в кармане, как будто нащупываю в темноте: точно так же, на ощупь, мы медленно, медленно продвигаемся в душном сыром подземелье, и всё, что мы видим, — маленький огонёк: пламя стелется — значит, есть выход, последняя дверь, высокая, в самом конце коридора, она уже приоткрыта, ты ждёшь меня с той стороны, ты зовёшь… Я иду.

По очереди сдвигаю с кровати ноги, сажусь. Снова ночь. Кругом относительная тишина. Пробую найти тапки ногами, но безуспешно: ниже колена ноги одеревенели. Славик, скрученный вязками, дышит во сне. Из коридора несётся храп тёти Шуры.

Двигаюсь к выходу из палаты, потом к двери на медицинскую половину, громко шаркает тапок. Подошва наполовину оторвалась. Останавливаюсь, озираюсь, прислушиваюсь — и выскальзываю за дверь. Снаружи вдыхаю полной грудью, словно выбрался из каких-нибудь катакомб, из трущоб, из подземного хода… В конце врачебного коридора вижу уголок света — на полу и на стене сломанную углом полоску. Когда ноги ничего не чувствуют, трудно удерживать равновесие. Приходится опираться о стену. Очень важно пройти этот путь самому. Путь к моей коронации… Пока бреду к светлой полоске, свет гаснет.

Дверь плотно закрыта. Внутри тихо, потом какое-то звяканье, бормотание, скрип, стон или смех, твой голос. Мне тесно, невыносимо. Из меня с болью, царапая, тянутся нитки.

Я знаю, что делать с дверью, Минька мне показал. Верчу колёсико зажигалки, щёлкаю рычажком. Пламени нет. Ни бусинки, ни икринки. Щелчок, искры, и снова темно. Очевидно, газ кончился. Встряхиваю зажигалку — мне кажется, внутри плещется. Зажигалка довольно увесистая: почему же она не горит?

Я щёлкаю, несколько раз подряд щёлкаю — и вдруг, распахнувшись, тяжёлая белая дверь бьёт в плечо. В проёме стоит человек. Ниже меня на голову. Проходит секунды три, прежде чем я узнаю Дживана Грантовича: в темноте у него чёрные пятна вместо глаз, рубаха выпущена из брюк, расстёгнута почти донизу, он покачивается, придерживаясь рукой за косяк.

В твоём кабинете черно. Когда дверь открылась, дохнуло теплом и знакомыми запахами: немного старостью, немного кремом — и алкоголем. Из тёмного тянущего тепла твой голос: "Джованни?"

Дживан шатается и по-прежнему не отпускает дверной косяк. "Джованни"?! Для тебя он – "Джованни"?!.

В этот момент — буквально в доли секунды, — как будто обратный центростремительный взрыв, выныривает и мгновенно склеивается из осколков выпуклая волшебная сказка про коварное предательство, про украденную колыбель, про королеву в заветной комнате и узурпатора на пороге.

Неумолимо глядя гнусному коротышке в глаза — в тёмные неразличимые в полумраке проёмы, — я целюсь в него зажигалкой, как шпагой, как пистолетом, как сейсмоторпедой, как твоим пультом от телевизора, чтобы выключить его, — щёлкаю!

Неожиданно цепко Дживан хватает моё запястье, другой рукой вырывает у меня зажигалку, бьёт о косяк двери, что-то со звяканьем отлетает, Дживан бросает моё сокровище на пол.

— Что случилось, Джованни?.. — Ох, какой у тебя странный, капризный голос, звуки будто расплывчатые, размазанные. — Джованни? Ты где?

Коротышка толкает меня в грудь с такой силой, что я пячусь и, потеряв равновесие, чуть не падаю. Дверь захлопывается.

Опираясь о стену, встаю на четвереньки, ищу в темноте, нашариваю то, что звякнуло, почти невесомый фрагмент (колёсико?) — и через короткое время саму зажигалку. Она изменилась на ощупь: образовалась какая-то неприятная выемка и внутри нечто мелкое, острое, как сломавшийся зуб, как расколотая черепица, рваные листы железа, раздавленные кирпичи, дранка, щепки — сплошное месиво, я в нём вязну всё глубже: выше колен, по бёдра, почти по пояс; дорога назад гораздо труднее, но я стараюсь не падать, не думать о только что пережитой измене, мне надо выбраться из развалин Мессины, покрытых слипшейся и запёкшейся пылью, каменной, известковой: под моросящим дождём извёстка издаёт хлористый запах, как в туалете, где я стою перед зеркалом.

Я стою перед зеркалом. Вижу себя, но не понимаю выражения собственного лица. Моё зрение сделалось избирательным, сузилось, я как будто смотрю в окуляр подзорной трубы, могу двигать эту трубу, наводить её на предметы — и только тогда медленно осознаю, что именно передо мною в данный момент.

В данный момент передо мною розетка. А в руке шпилька. Сейчас радостный огонёк вывинтится из двух чёрных глазков, закрутится вокруг усиков, вылетят пробки, погаснет дежурный свет, останутся только красные лампочки на щитке, пожарная сигнализация засвистит, заревёт, все проснутся, сбегутся — и ты очнёшься от наваждения, ты прогонишь "Джованни", вернёшься ко мне.

Шпилька поменьше, чем в детстве, поуже. Я разгибаю железные усики, делаю букву "П". Примериваюсь, тычу шпилькой в розетку и…

…И ничего. Свет не гаснет. Сирена не воет. Шпилька торчит из розетки как ни в чём не бывало.

Мне боязно прикасаться к железной шпильке голой рукой, поэтому, приспустив пижамный рукав, я беру её через ткань. Поворачиваю так и эдак, скребу розетку усиками изнутри…

"Оба-на!" — гаркает у меня за ухом.

Я чуть не падаю от неожиданности, от испуга: ноги и без того еле держат.

"Хочешь праздник устроить? Какой молодец!"

Это Минька! Амин Шамилов. Мой тайный оруженосец.

"Салют хочешь устроить им? Салют, да?.."

Он рассматривает комбинацию из розетки и шпильки:

"Напряжения нет. Тока нет. Электричество йок. Понимаешь? Фиг с ним, тебе и не требуется понимать…"

Я никогда не любил смотреть людям в глаза — а за одиннадцать лет вообще разучился. Смотрю мимо невидящим взглядом. Но внутри — я ликую: мы с Минькой вместе, это происходит со мной наяву! События разворачиваются стремительно: не успевает Минька произнести слово "салют", как в чёрном небе Сицилии вспыхивают фонтаны, тюльпаны, сыплются блёстки… Мы с Минькой бежим, катимся вниз по склону, за нами погоня…

Я слушаю Миньку вполуха, меня сейчас больше занимают сицилийские приключения, но из отдельных слов и фраз ("биомусор", "горите, суки, в аду") понимаю, что он недолюбливает врачей, да и в целом скептически смотрит на человечество; Минька сообразил, что поджог в надзорной палате — моя работа, и горячо одобряет ("ты прям террорист! террорист, да?.."). А я, в свою очередь, утверждаюсь в понимании, что это именно Минька пробрался к твоей двери прошлой ночью ("забегали, бабуины…"), мы с ним солидарны, мы делаем общее дело, и, чудом уйдя от погони, мы в море, меня ждёт катер с пирокластическими торпедами, нам пора расставаться — и на прощание я дарю верному оруженосцу самое ценное…

Отдаю зажигалку. Минька мной восхищён. Одобрительно хлопает меня, тыкает. Щёлкает, но огня нет. Где-то сбоку находит маленький рычажок: я даже не подозревал, что этот маленький зубчик способен двигаться, — Минька с трудом подцепляет зубчатую лапку ногтем, ругается ("заело, ять"), но с усилием всё-таки передвигает на противоположный край прорези. Снова щёлкает — и появляется язычок пламени! Я был уверен, что коротышка испортил мою зажигалку, демонстрирую Миньке фрагмент, найденный на полу, но Минька мне поясняет, что это всего лишь скобка, которая защищала колёсико ("кожушок, понял ты? кожушок!") — а весь механизм зажигалки на месте, кремень на месте, колёсико ("видишь?") — я вижу, да, колёсико крутится, рычажок нажимается, газ идёт.

По Минькиному велению добываю подушку: это непросто, мне нужно второй раз прокрасться мимо тёти Шуры — она храпит, как сказочный великан, как полсотни матросов в кубрике; лишь когда я, уже с подушкой в охапке, — стремительно, молниеносно! — опять выскальзываю за дверь, мне мерещится некое движение перед третьей палатой, может быть, кто-то проснулся и видел, как я выхожу, но я поглощён своей миссией, мне немного обидно, что Минька пеняет мне за промедление ("спишь на ходу", "еле ноги волочишь", "давай, давай сюда, бабуин").

Взявшись двумя руками за наволочку, он отважно — и в высшей степени неожиданно для меня — дёргает и с треском рвёт ткань, надрывает: в подушке будто бы раскрывается рот. Внутри множество перьев. *Плюмас!* (Видишь, я помню испанское слово: *лас плюмас*). Перья священной птицы *курикинкэ*... Одно, как одуванчик, перелетает... ах, как меня поражает и восхищает решительность Миньки. Мне самому никогда не пришла бы идея проделать в подушке рот.

Минька несколько раз настойчиво говорит, почти вдалбливает, что, когда перья как следует разгорятся, мне нужно бросить внутрь зажигалку ("Понял, нет? Эй! Кивни, что понял! Кивни, кивни!")

Я, не глядя на него, киваю. Он рад, он доволен мной: "Покажешь им? Молодец. Точно справишься? Что я в людях люблю — так это общительность. Ты общительный парень. Якудза. Якудза, да? Не якудза, нет... Ты сумо́! Покушать любишь, да? Правильно... вон туда, ворочай, ворочай ногами, ворочай, не спи, не спи!.."

По дороге я думаю (с тёплой грустью), что Минька со мной разговаривал не вполне подобающим образом. Как если бы, наоборот, он был принцем, а я у него на посылках. Он просто ещё не постиг, что моё низкое звание, моё мнимое сумасшествие, моя отталкивающая внешность, мой вес — всё это не более чем удачно подобранная маскировка, личина... Ну ничего, ничего. Тем больший его ждёт сюрприз. Я внутренне улыбаюсь. Я как-то рассеян — но добродушно рассеян.

Я опускаю подушку под королевскую дверь. От движения воздуха из подушки вываливается ворох перьев. Нескольким пёрышкам удалось зацепиться за наволочку бородками, волоконцами, — но даже за жизнь они цепляются так бессильно, так жалко своими мягкими невесомыми шелковинками, трепыхаются — и всё равно отлетают... Фу, мусор.

Я щёлкаю зажигалкой. Ну вот, совершенно другое дело! Язык огня, такой длинный, что изгибается от сквозняка. Я подношу зажигалку к разорванной наволочке, к "уголку рта". В колеблющемся свете мои пальцы выглядят очень большими.

Я ждал, что тотчас взметнётся костёр, — но по наволочке растекается тёмная клякса. Проклёвываются язычки, плодятся, шныряют. Их много, они принимаются лепетать вразнобой: почти у каждого пёрышка собственный капюшончик, куколь, своя пляшущая коронка.

Огонь не взвивается, а, наоборот, разъедает внутренности подушки, образуются чёрные гнёзда и рытвины. Ползёт дым. Пахнет жжёными остьями, волосами.

Этот запах мне кажется совершенно не подходящим для коронации.

Определённо, он неуместен.

Отвратная вонь. Так смердела 2-я Аккумуляторная, когда ветер дул от мясоперерабатывающего комбината. У меня першит в горле, я кашляю.

Я-то думал, что все эти перья давным-давно превратились в технический наполнитель, в безличный служебный материал, их единственным предназначением было — вспыхнуть и дружно исчезнуть, — но они пахнут гораздо хуже, чем краска или пенопласт: пахнут горящей плотью.

Тяжёлый дым закручивается, как тряпка, перья сжимаются, пачкаются смолой, проседают воронками, ямами, число выживших тает, и с каждым часом раскопки требуют больших и больших усилий. Нам удаётся спать лишь урывками: не отдохнув, мы, зевая и ёжась от холода, грузимся в шлюпки — а на берегу снова роем колодцы, прокладываем тоннели, буквально уходим в поиски с головой. Среди развалин маячат, как привидения, оборванцы, вымазанные в земле и облепленные извёсткой, многие — обезумевшие. Просят пить. Водопровод разрушен землетрясением, город мучится жаждой. Мне врезается в память один сумасшедший: полуголый, дрожащий, синий от холода, он сидит прямо в луже и пьёт, черпая из этой же лужи горстью. Остальные сливаются в длинную череду: тела в ожогах и грязных запёкшихся ссадинах, у большинства особенно сильно изранены спины. Землетрясение началось перед рассветом, и, когда стали рушиться стены и потолки, люди спросонья пытались укрыть лица и головы, поворачиваясь спинами к падающим обломкам...

Внутри подушки пучатся чёрные волдыри. Перья, когда их лижет огонь, скручиваются в узлы, похожие на куколки насекомых. В горячем ветре они дрожат, как живые. Вокруг костра очень темно.

Теперь я вижу, что произошла чудовищная ошибка. Всё должно было выглядеть совершенно иначе: вспышка — и в трансцендентальном, эфирном огне я должен был взлететь к солнцу, — как говорил Костя Суслов — Икар! как Икар!.. Вместо этого перья тают и раскисают в грязное месиво, перетянутое безобразными перепонками, они корчатся, переплетаются, булькают...

Из этой неразберихи и каши, из этого ада, из этого сумасшедшего дома был выход, такой простой и естественный, но дым и смрад нарочно меня запутывают, отвлекают, пытаются опередить... Послушай! Если мы не набивка, не безымянный служебный материал, какими бы ни были — некрасивыми, слабыми, умными, глупыми, — но мы были рядом, мы отражались друг в друге... Я почти понял, я близко! — но всё никак не могу уцепиться, продвинуть застрявший зубчатый рычажок, он срывается, шестерёнка прокручивается вхолостую, и за день раскопок нам не удаётся спасти ни одного человека.

Уже в потёмках мы выбираемся из глубины города, держа курс на тусклое зарево: у набережной догорает гостиница "Тринакрия". Чем гуще смеркается, тем нам труднее идти. Всё время приходится то карабкаться по скользким глыбам, то с предосторожностями спускаться, сползать: кажется, мы не продвигаемся ни на шаг.

В ночи копошатся тени: за эти дни в городе появилось множество крыс и бродячих собак. Руины смердят, несмотря на усиливающийся дождь. Мы огибаем завалы, сбиваемся с курса, пытаемся срезать дорогу — и наконец понимаем, что заблудились. Кое-где темноту простреливают лучи корабельных прожекторов, но по контрасту с этим пронзительным светом окружающий мрак лишь чернее.

Мне чудится, что после того, как я попробовал опереться о леер и рухнул, меня не спасли: я ушибся о воду, я оглушён, я тону, опускаюсь во мглу, в бесплотное, бледное небытие…

Мы с тобой понимаем, что, по существу, коронация — действие символическое. Шаг туда, шаг сюда, пара-тройка условных движений — сесть, встать, склонить голову, поднять голову. Присяга: короткая формула, минимум слов.

За кадром — предшествующие поколения, десятилетия и века, подъём и падение государств и империй, битвы и перемирия, ярость и ликование, толпы и факелы на площадях, и всё это лишь для того, чтобы я сейчас произнёс пять-шесть слов… и чтобы всё навсегда изменилось.

…Но что это за слова? Кому я присягаю? или чему?

Не имею понятия.

Наволочка развалилась. На обугленной ткани — неизвестно как уцелевший клочок белых перьев. На чёрном фоне пёрышки выглядят особенно беззащитными. Они шевелятся на сквозняке.

Огонь уже не шуршит, а стучит. Запах — плотский, а этот стук — совершенно безжизненный, механический, точно со щёлканьем быстро переворачиваются пластиковые отрывные страницы.

Стук нарочно меня не пускает, мешает мне думать… "Молчи!" — Бросаю в него зажигалку. Взлетают искры.

Стук на мгновение затихает — как бы от удивления. Зажигалка лежит среди спёкшихся перьев.

Вот так всегда: самое важное оставляем на последний момент. Почему? Почему мы не верим, и ходим по кругу, мешаем друг другу и подминаем друг друга, и топчемся, — а всё так скоротечно, так мимолётны зубчики этих коронок, эти трепещущие язычки, спешащие высказать, выписать наши истинные имена на огненном, на небесном, на подлинном языке…

Помоги же мне! я почти понял. Осталось найти всего несколько слов. Ночь светлеет. Произнести пять-шесть слов — и всё разом изменится. Стук становится громче. Пусть мне останется шесть секунд, пять секунд — я успею.

Итак.

Если все, бывшие рядом со мной... Нет, иначе: если каждый, каждый из тех, кто был рядом со мной... Если каждому принадлежала собственная корона, то, значит, все... то есть каждый из нас...

10

Сначала неслышным обратным эхом, потом отчётливей — марш гренадеров. Флаги — багровые, золотые — качаются в праздничной темноте. Темнота расширяется.

Первым ко мне подходит — печатным военным шагом — полковник де Сильва. Парадный мундир как влитой. Взгляд полковника твёрд и ясен, на висках ранняя седина. Одним упругим движением он опускается передо мной на колено: широкий плащ с пнистым крестом вздувается и опадает.

Не глядя, протягиваю руку церемониймейстеру: через ладонь скользит прохладная ткань и ложится увесистая подкова с выступами-копытцами.

— Eh bien, mon coronel*. — Все застыли. — Cumpliendo perfectamente con vuestra profesión, vos conllevasteis mis penas y pasasteis sufrimientos e injurias. Y ahora, cuando todas las calamidades tuvieron este feliz fin, querría, y esa es mi voluntad, que tuvierais gratificallas, servillas y recompensallas como vos merecéis, señor mío, querría daros a vos y a los herederos de vuestro famoso título y de las armas entera posesión de Lucca, Génova, Murcia, Albarracín, Atlántida y Tegucigalpa por todos los venideros siglos**.

— ¡Oh señor mío!*** — де Сильва склоняет голову: я надеваю ему на шею муаровую тёмно-красную ленту с орденом Золотого руна.

Флюгельгорны. Фанфары. В струях горячего воздуха плывут и поворачиваются полотнища. Темнота усеивается мигающими язычками: все мои одноклассники и соседи; медички из общежития; вор; атлет с большими плечами; все, кто мучил меня в бассейне и во дворе; тётя Эля с Виталиком; трое, сидевшие на трубе теплотрассы, — все,

---

*   Ну что ж, полковник. *(фр. + исп.)*
** Безукоризненно исполняя свой долг, вы разделили со мною невзгоды и претерпели мытарства и унижения. Теперь, когда все коловратности благополучно закончились, я желаю — и такова моя воля — прилично вознаградить вас, пожаловав вам и наследникам вашего достославного титула и родового герба во владение вечное и безраздельное — Лукку, Геную, Мурцию, Альбаррацин, Атлантиду и Тегусигальпу. *("золотой испанский" — язык XVI–XVII веков)*
*** О, государь!.. *(исп.)*

все, невидимые в темноте, поднимают тысячи зажигалок.

— ¡Estoy a vuestra disposición... hasta cuando se me acabe el curso de la vida!* — едва справляясь с волнением, выговаривает полковник.

— Sus famosas fazañas serán esculpidas en mármoles para quedar ejemplo de sus virtudes a los venideros hombres**.

Де Сильва целует мне руку, делает низкий-пренизкий, ниже, чем требуется по этикету, поклон — отступает; ко мне уже двинулся мой любимец де Вилья... его придержали, напомнили, чтобы он привёл свою внешность в порядок.

Хлопнувши себя по лбу (“¡Gañán, faquín!”***) — неузнаваемый Виля как шарф разматывает морщинистое накладное жабо и, отбросив его, обнажает гладкую загорелую шею. Звеня шпорами, подбегает, проворно встаёт на колено.

— Duqe Villa, en estas prisiones vos pasasteis a mi lado malos días y peores noches. Hambriento y sediento, miserable, roto y piojoso vos disteis medio a todas aquellas dificultades, pospusisteis todo inconveniente y salisteis vencedor de todo trance. En agradecimiento de vuestra valentía y valor, vuestras

---

*   Я ваш слуга... до последнего моего издыхания!.. *(исп. XVI–XVII вв.)*
**   Ваши подвиги будут высечены на мраморе как пример для потомков. *(исп. XVI–XVII вв.)*
***   “Треклятая рассеянность!” *(исп. XVI–XVII вв.)*

astucias y cortesía, pero especialmente por vuestra firmeza, paciencia y fidelidad, os hago señor y legítimo posesor de Galicia, la soleada California y el Mar de los Sargazos*.

Как легко наконец говорить на родном языке. Быть свободным. Как сладко. Эти старинные ритуалы: витиеватые и внешне хрупкие, но отчего-то такие победные, победительные... Трепещут ленты.

Вдруг замешательство, ропот: из тёмных рядов выталкивают человечка в жёваной, выпущенной из брюк рубахе, коротышка пытается что-то пролепетать в своё оправдание — язык ему не повинуется. Ох, несдобровать коротышке: грозно сверкнули глаза де Сильвы, де Вильи, и замелькали выдвинутые клинки...

— ¡Envainad, mis buenos señores!** — властным жестом я предотвращаю кровопролитие. — Que la venanza, aunque justa, no ponga mustia el gran día del felicísimo triunfo. Hay un refrán en nuestra España que dice que habiendo durado mucho el mal, el bien

---

* Герцог Вилья, бок о бок со мною вы провели в заточении множество беспокойных дней и ещё менее спокойных ночей. Страждущий и изнурённый, полураздетый и бесприютный, вы преодолели опасности и лишения, с честью вышли из всех испытаний. За вашу доблесть и дерзновение, хитроумие и любезность, а особливо — за верность, терпение и постоянство — вы становитесь обладателем и законным владельцем Галисии, солнечной Калифорнии и Саргассова моря. *(исп. XVI–XVII вв.)*
** Мечи в ножны, добрые мои сеньоры! *(исп. XVI–XVII вв.)*

está ya cerca. Y al contrario, los que ayer estaban en pinganitos, hoy están por el suelo. Aquí está el mesmo criado hasta entonces fiel y seguro. Como me vio en esta desgracia y aprieto, quiso aprovecharse de la ocasión, pero quedó muy engañado. Ese embustero cobarde es digno de muy gran castigo... pero hoy sale con su merecido premio. Al indigno grande Juan, al traidor don Giovanni, para que viva sin austentarse, para que se arrepienta por todos los días de su vida y se avergüence de sí mesmo, se le entrega la hacienda estancia... Califánovo*.

Всё взрывается смехом, вертятся и разбрызгиваются огни.

Коротышку выталкивают взашей: вместо муаровой ленты ему на плечи набросили перекрученную простыню, под возгласы "¡Fuera, hideperro! ¡Huye, puto! ¡Vete a Califánovo!"** — он исчезает бесследно.

---

* Не омрачим местью — пусть справедливой — день величайшего торжества. У нас говорили: когда полоса невзгод тянется долго, это значит, что радость близка. И напротив: кто вчера был высоко, тот нынче оказывается во прахе. Вот перед вами слуга, представлявшийся преданным и надёжным. Увидев, что мы оказались в несчастье и бедственном положении, он вздумал этим воспользоваться, но жестоко ошибся. Сей вероломный холоп заслужил наказание... но сегодня получит подарок. Негодному гранду Хуану, дрянному дону Джованни, — для безвыездного местожительства, для пожизненного раскаяния и неутолимого стыда — предоставляется гасиенда-эстансия... Колываново! *(исп. XVI–XVII вв.)*

** "Колываново! Прочь! Позор! В Колываново!" *(исп. XVI–XVII вв.)*

Множество огоньков отражается в позолоте. В тёмных высях проносится ветер и разворачивает штандарты: львы встают на задние лапы, реют червлёные полосы на знамёнах. Времени ещё много, но у меня отчего-то слезятся глаза, как от сильной усталости. Повторяются такты марша. Все ждут.

Видно, дело за мной.

Но я медлю. Мне почему-то ужасно жалко всех, кто остаётся, всех вас, моих подданных: только что розданные провинции, страны, сокровища и ордена кажутся мне сейчас таким пустяком…

Я не притворяюсь: это на самом деле такая ничтожная малость, и, главное, это так просто… Нет, уже не успею как следует объяснить. Горны твёрды: пора.

Встаю с трона и сразу вижу солнечную дорогу — она начинается у меня под ногами. Огни зажигалок сливаются в солнечные ступеньки, тасуются и теснятся. Чем дальше вперёд, тем дорога ровней: я готовлюсь ступить на неё, как на зыбкую чешую, на блестящие отшлифованные пластинки. Здесь, в самом начале, особенно по краям, они быстро-быстро колеблются, мельтешат, норовя выскочить из-под ног, но я знаю, что если изо всех сил разбежаться и заскользить, как на лыжах или на коньках, среди вспышек, в мареве солнечных мух, если всем существом понестись к близкому горизонту, над которым уже сквозят облака и набирают силу лучи, так что ступеньки сливаются в ослепительную сплошную ленту…

Я поднял руку. Небесные горны звучат напряжённо, почти пронзительно. На прощание говорю уже прямо, без обиняков: "Cada uno es el príncipe incógnito". Ступаю на золотую дорогу.

Она подаётся и чуть колышется под подошвами — но она меня держит, по ней правда можно идти. Это правда! Мне тесно дышать, потому что лёгкие до отказа заполнены благодарностью. Солнечная дорога искрится, её правый край нестерпимо горит. Впереди — бесконечное поле расплавленного огня.

Я всем сердцем уже устремляюсь туда, но в последний момент что-то меня задерживает — может быть, недоуменная тишина за спиной. Разве я что-то не досказал? Повернувшись, стараясь унять нетерпение, я как можно раздельнее повторяю: "Каждый из нас — принц инкогнито".

Но все молчат.

СЛОВАРЬ
ТЕРМИНОВ, ИНОСТРАННЫХ
И МАЛОУПОТРЕБИТЕЛЬНЫХ СЛОВ,
НЕ ПОЛУЧИВШИХ ОБЪЯСНЕНИЯ В ТЕКСТЕ

азерб. — азербайджанское
арм. — армянское
бак. — бакинское
бранн. — бранное
досл. — дословно
жарг. — жаргонное
исп. — испанское
ист. — историческое
ит. — итальянское
караб. — карабахское
лат. — латинское
мед. — медицинское
мор. — морское
неправ. — неправильное
обсц. — обсценное
порт. — португальское
пск. — псковское
сиц. — сицилийское

Heroica *(мед.)* — сильнодействующие лекарства.

А кац *(бранн. арм.)* — бесцеремонное обращение к молодой женщине, [девка].

Ада́ *(бак.)* — эй.

Азалепти́н *(мед.)* — нейролептик.

Аль мар *(исп.)* — в море.

Аминази́н *(мед.)* — первый синтетический нейролептик. В ряде стран производство прекращено из-за токсичности и множества побочных эффектов.

Амитриптили́н *(мед.)* — антидепрессант.

А́ра *(арм.)* — эй.

Ара́р эн эль мар *(исп.)* — досл.: "пахать в море"; трудиться впустую.

Бе́нга *(исп.)* — давай!

Бе́са ми ку́ло *(бранн. исп.)* — поцелуй меня в зад.

Болтушка *(мед. жарг.)* — смесь лекарств.

Брейд-вымпел *(мор.)* — вымпел с косицами.

Броневая палуба *(ист. мор.)* — один из нижних "этажей" боевого корабля.

"Буханка" — санитарный микроавтобус УАЗ-3962.

Вай ку *(карааб.)* — ничего себе! Ишь ты!

"Васпурака́н" — марка 15-летнего армянского коньяка.

Воще́нца *(сиц.)* — Ваше сиятельство.

Гаирмаха́лся *(от обсц. арм.)* — занимался сексом.

Галоперидо́л *(мед.)* — нейролептик.

Галью́нщик *(ист. мор.)* — матрос, убирающий гальюн (отхожее место), низшая должность на корабле.

Гандýльничать *(от исп.)* — лениться.

Г’ахпи тха *(обсц. арм.)* — грубое ругательство. [Сукин сын.]

Гёт *(обсц. азерб, караб.)* — грубое ругательство. [Задница.]

Гёти мúны *(обсц. караб.)* — грубое ругательство. [Задница такая.]

Гижъдуллáх *(обсц. азерб.)* — Грубое ругательство. [Долдон.]

Гипанýть, гиповáть *(мед. жарг.)* — для больных сахарным диабетом: пережи(ва)ть острое патологическое состояние в результате снижения концентрации глюкозы, вплоть до потери сознания и диабетической комы.

Глóрия, глóрия! Корóна де ла Пáтрия… *(исп.)* — "Слава, слава! Корона Родины…" Первая строчка гимна Испании при короле Альфонсо XIII.

Гямбýл *(азерб.)* — жирный.

Де мьéрда *(бранн. исп.)* — дерьмовый.

Диабетическая стопа *(мед.)* — для больных диабетом: патологические изменения нервов, сосудов, тканей и костей стопы.

Дроперидóл *(мед.)* — нейролептик.

Ес ку мáмат *(обсц. караб.)* — твою мать.

Ёх-бир *(бак.)* — ещё чего! (Не тут-то было!)

Загиповáть *(мед. жарг.)* — *см.* Гипанýть.

Кабрóн *(бранн. исп.)* — козёл.

Кáка де вáка *(бранн. исп.)* — дерьмо коровье.

Каракарпáки *(неправ.)* — каракалпаки, тюркский народ.

Караманúды *(ист.)* — турецкая династия.

Карбамазепи́н *(мед.)* — противосудорожное средство.

Квартирме́йстер *(ист. мор.)* — младшее унтер-офицерское звание во флоте. Подразделялось на первую
и вторую статью.

Ке мье́рда *(бранн. исп.)* — досл.: "Какого дерьма?"

Кеццэ́ *(арм.)* — да здравствует!

Ки́рщик *(бак.)* — работающий с киром, т.е. битумом
(например, покрывающий киром крышу).

Комендо́р *(ист. мор.)* — артиллерист.

Конду́ктор *(ист. мор.)* — высшее унтер-офицерское
звание.

Ко́ппола *(сиц.)* — традиционная сицилийская мужская
шерстяная кепка.

Королева-консорт — не правящая королева, супруга
(или вдова) короля.

Ле́ер *(мор.)* — тросовое ограждение.

Мальди́та *(бранн. исп.)* — проклятая; вообще усиление ругательства.

Мальди́то сэас *(бранн. исп.)* — чтоб тебя.

Мами́та *(исп.)* — мама.

Марс *(мор.)* — площадка на мачте.

Мье́рда *(исп.)* — дерьмо.

Мичман *(ист. мор.)* — офицерское звание (не путать
с позднейшим, соответствующим армейскому званию "прапорщик").

Моко́со *(исп.)* — сопляк.

Моонзу́нд *(ист.)* — в данном случае: морское сражение
в ходе Первой мировой войны.

Мути́зм *(мед.)* — отсутствие речи.

Невзабы́льшная *(пск.)* — небывалая.

Но ло пуэ́до крее́р *(исп.)* — Я не верю!

Но пуэ́зе сер *(исп.)* — Этого не может быть!

О́ро эн ту коло́р... Пу́рпура и о́ро... *(исп.)* — "Золото — твой цвет... Пурпур и золото..." Строчки испанского гимна при Альфонсо XIII.

Откулемя́сить, перемозголоти́ть *(пск.)* — избить.

Пала́сио Реа́ль *(исп.)* — королевский дворец в Мадриде.

Пала́сиу да Ажу́да *(порт.)* — королевский дворец в Лиссабоне.

Пирокласти́ческий — состоящий из раскалённых вулканических газов.

Побо́чка *(мед. жарг.)* — побочные эффекты лекарств.

Полуба́к *(мор.)* — носовая часть верхней палубы.

Пор ке ко́нью *(обсц. исп.)* — досл.: какого хрена.

Проло́нги *(мед.)* — нейролептики пролонгированного (длительного) действия.

Пропази́н *(мед.)* — нейролептик.

Пу́та *(бранн. исп.)* — шлюха.

Рага́цца *(ит.)* — девушка.

Ро́стры *(мор.)* — стеллажи для крепления шлюпок и катеров.

Рунду́к *(мор.)* — ящик для хранения личных вещей.

Сибазо́н *(мед.)* — сильнодействующий транквилизатор.

Сик тра́нзит гло́рия моря *(искаж. лат.)* — так проходит морская слава.

Скац! *(караб.)* — слушай!

Скачивать *(мор.)* — обдавать водой (окачивать) и затем сгребать воду.

Солиа́н *(мед.)* — нейролептик.

Сонапа́кс *(мед.)* — антипсихотик.

Стеньга́ *(мор.)* — верхняя часть мачты.

Суле́ма *(ист. мед.)* — хлорид ртути, средство дезинфекции.

Таорми́на — город-курорт на востоке Сицилии, между Мессиной и Сиракузами.

Тапш, дашба́ш *(бак.)* — протекция, взятка.

Тералидже́н *(мед.)* — антипсихотик.

Топ *(мор.)* — верхний конец мачты.

Т'о́пал ка́клан *(бранн. караб.)* — жирный [урод].

Трина́крия — символ Сицилии в виде трёх бегущих ног.

Трифтази́н *(мед.)* — нейролептик.

Трукса́л *(мед.)* — нейролептик.

Тускаро́ра — ирокезы, индейский народ.

Фальшбо́рт *(мор.)* — ограждение палубы.

Феназепа́м *(мед.)* — транквилизатор.

Флаг-капитан *(ист. мор.)* — начальник штаба при флагмане *(см. ниже)*.

Фла́гман *(ист. мор.)* — 1. Командующий соединением кораблей; адмирал, чей флаг поднят на корабле. 2. Корабль, на котором поднят такой флаг.

Флане́левка *(мор.)* — парадная тёмно-синяя форменная рубаха.

Флюгельго́рн — медный духовой инструмент.

Фонарная комната *(мор.)* — подсобное помещение на корабле, в т.ч. для хранения сигнальных фонарей.

Фо́рменка *(мор.)* — белая полотняная рубаха.
Фра́трес и се́стрес *(искажённое лат.)* — братья и сёстры.

Хето инч *(арм.)* — ну и что?
Хиндогны́ *(азерб.)* — сорт винограда.
Хо́мо вульга́рис *(лат.)* — человек обыкновенный.

Циклодо́л *(мед.)* — лекарство, корректирующее побочные эффекты нейролептиков.

Шестидюймо́вка *(ист. мор.)* — артиллерийское орудие калибра 152 мм.
Шка́нцы *(мор.)* — часть верхней палубы, где производятся смотры; почётное место на корабле.
Шлюпба́лка *(мор.)* — устройство для подъёма и спуска шлюпок и катеров.
Шор-гога́л *(азерб.)* — солёная выпечка.
Штаб-офицеры *(ист.)* — офицеры VIII–VI классов; во флоте — от старшего лейтенанта до капитана первого ранга.
Шуро́вка *(мор. жарг.)* — лопата.

Эвви́ва *(ит.)* — да здравствует.
Эндоге́нный *(мед.)* — вызванный внутренними факторами.
Эпилепто́ид *(мед.)* — тип "акцентуированной" личности. Авторитарный, педантичный, взрывной.
Эскуди́льо *(ист. исп.)* — монета, содержащая полтора грамма золота; половина эскудо.
Эсцеха́ *(мед. жарг.)* — шизофрения (по первым буквам немецкого и французского слова Schizophrenie).

БЛАГОДАРНОСТИ

Прежде всего: приведённый ниже список неполон.

Автор низко кланяется и горячо благодарит тех, кто поделился временем, благорасположением — и познаниями в тех многочисленных областях, в которых сам автор как минимум (или максимум?) плавает — а как максимум (или всё-таки минимум) вообще ни бельмеса.

Вот эти благородные люди.
Надежда Дмитриевна Агнивина, Владимир Валерьевич Халдеев, Анатолий Иванович Зюкин, Александр Вячеславович Должиков, M.D. Георгий Николаевич Мусхелишвили (психиатрия);
К.м.н. Дарья Никитична Егорова (эндокринология);
К.ф.н. Анастасия Владимировна Кутькова (испанская филология);

БЛАГОДАРНОСТИ

Алексей Юрьевич Емелин и коллектив РГАВМФ
(Военно-морского архива), к.и.н. Алексей Алексеевич
Бочаров (история флота);
Алексей Николаевич Михалёв, д.г.-м.н. Андрей
Алексеевич Никонов (сейсмология, история
землетрясений);
Маша и Стефано Галлитто, проф. Сальваторе Сантуччо
(Сицилия);
Ирина Христофоровна Бегларян (Степанакерт),
Михаил Леонтьевич Санадзе (Баку — Степанакерт —
Мессина);
Фёдор Николаевич и Екатерина Юрьевна Сваровские,
Аркадий Моисеевич Штыпель, Михаил Владимиро-
вич Бутов, Ольга Ильинична Новикова, Андрей
Витальевич Василевский и коллектив журнала
"Новый мир", Алексей Яковлевич Гордин,
Елена Данииловна Шубина (литература);
Алиса Валерьевна Понизовская (универсум).

Благодарю Валерия Александровича Голубева
за слово "мизерабль".

Благодарю всех моих дорогих родственников
и друзей за поддержку, терпение и бесценную
помощь.

Слава Богу за всё!

Литературно-художественное издание

Понизовский Антон Владимирович

Принц инкогнито

Роман

16+

Главный редактор ЕЛЕНА ШУБИНА
Художники ПАВЕЛ КРАМИНОВ, АНДРЕЙ БОНДАРЕНКО
Литературный редактор МИХАИЛ БУТОВ
Ведущий редактор АННА КОЛЕСНИКОВА
Младший редактор ВЕРОНИКА ДМИТРИЕВА
Корректор ОЛЬГА ГРЕЦОВА
Компьютерная вёрстка ЕЛЕНЫ ИЛЮШИНОЙ

 http://facebook.com/shubinabooks

 http://vk.com/shubinabooks

Подписано в печать 11.07.2017. Формат 84x108/32.
Печать офсетная. Усл. печ. л. 15,12.
Тираж 4000 экз. Заказ № 6748.

Общероссийский классификатор продукции
ОК-005-93, том 2; 953000 – книги, брошюры

ООО «Издательство АСТ»
129085 г. Москва, Звездный бульвар, д. 21, строение 1, комната 39
Наш электронный адрес: www.ast.ru
E-mail: astpub@aha.ru

«Баспа Аста» деген ООО
129085 г. Мәскеу, жұлдызды гүлзар, д. 21, 1 құрылым, 39 бөлме
Біздің электрондық мекенжайымыз: www.ast.ru
E - mail: astpub@aha.ru

Қазақстан Республикасында дистрибьютор және өнім бойынша арыз-талаптарды қабылда-
ушының өкілі «РДЦ-Алматы» ЖШС, Алматы қ., Домбровский көш., 3«а», литер Б, офис 1.
Тел.: 8(727) 2 51 59 89,90,91,92, факс: 8 (727) 251 58 12 вн. 107; E-mail: RDC-Almaty@eksmo.kz
Өнімнің жарамдылық мерзімі шектелмеген.

Отпечатано в АО «Первая Образцовая типография»,
филиал «УЛЬЯНОВСКИЙ ДОМ ПЕЧАТИ». 432980, г. Ульяновск, ул. Гончарова, 14